Narcisismo

CIP-BRASIL. CATALOGAÇÃO NA PUBLICAÇÃO
SINDICATO NACIONAL DOS EDITORES DE LIVROS, RJ

L953n

Lowen, Alexander
  Narcisismo : a negação do verdadeiro self / Alexander Lowen ; tradução Álvaro Cabral. – São Paulo : Summus, 2017.
  208 p. : il.

  Tradução de: Narcissism : denial of the true self
  Inclui Notas
  ISBN 978-85-323-1082-8

  1. Psicologia. 2. Narcisismo. I. Cabral, Álvaro. II. Título.

17-44437   CDD: 155.2
                                                CDU: 159.923

www.summus.com.br

Compre em lugar de fotocopiar.
Cada real que você dá por um livro recompensa seus autores
e os convida a produzir mais sobre o tema;
incentiva seus editores a encomendar, traduzir e publicar
outras obras sobre o assunto;
e paga aos livreiros por estocar e levar até você livros
para a sua informação e o seu entretenimento.
Cada real que você dá pela fotocópia não autorizada de um livro
financia o crime
e ajuda a matar a produção intelectual de seu país.

Narcisismo

A negação do verdadeiro *self*

Alexander Lowen

Do original em língua inglesa
NARCISSISM
Denial of the true self
Copyright © by Alexander Lowen, 1983, 2017
Direitos desta tradução adquiridos por Summus Editorial
Ltda.

Editora executiva: **Soraia Bini Cury**
Assistente editorial: **Michelle Campos**
Tradução: **Álvaro Cabral**
Revisão da tradução: **Samara dos Santos Reis**
Projeto gráfico e diagramação: **Crayon Editorial**
Capa: **Santana**

2ª reimpressão, 2023

Summus Editorial
Departamento editorial
Rua Itapicuru, 613 – 7º andar
05006-000 – São Paulo – SP
Fone: (11) 3872-3322
http://www.summus.com.br
e-mail: summus@summus.com.br

Atendimento ao consumidor
Summus Editorial
Fone: (11) 3865-9890

Vendas por atacado
Fone: (11) 3873-8638
e-mail: vendas@summus.com.br

Impresso no Brasil

Sumário

Introdução 7

1. Um espectro de narcisismo 11
2. O papel da imagem 31
3. A negação do sentimento 49
4. Poder e controle 71
5. Sedução e manipulação 93
6. Horror: a face da irrealidade 115
7. O medo da insanidade 137
8. Em excesso, muito cedo 151
9. A loucura de nosso tempo 171

Notas 199

Introdução

O narcisismo descreve uma condição psicológica e uma condição cultural. No nível individual, indica uma perturbação da personalidade caracterizada por um investimento exagerado na imagem da própria pessoa à custa do *self*. Os narcisistas estão mais preocupados com o modo como se apresentam do que com o que sentem. De fato, eles negam quaisquer sentimentos que contradigam a imagem que procuram apresentar. Agindo sem sentimento, tendem a ser sedutores e ardilosos, empenhando-se na obtenção de poder e de controle. São egoístas, concentrados nos próprios interesses, mas carentes dos verdadeiros valores do *self* – notadamente, autoexpressão, serenidade, dignidade e integridade. Aos narcisistas falta um sentimento do *self* derivado de sensações corporais. Sem um sólido sentimento do *self*, levam a vida como algo vazio e destituído de significado. É um estado de desolação.

No nível cultural, o narcisismo pode ser considerado perda de valores humanos – uma ausência de interesse pelo ambiente, pela qualidade de vida, pelos seres humanos seus semelhantes. Uma sociedade que sacrifica o meio ambiente em nome do lucro e do poder revela sua insensibilidade em face das necessidades humanas. A proliferação de bens materiais converte-se em medida de progresso na vida; e o homem se opõe à mulher, o trabalhador, ao patrão, o indivíduo, à comunidade. Quando a riqueza ocupa uma posição mais elevada que a sabedoria, quando a notoriedade é mais admirada que a dignidade, quando o êxito é mais importante que o respeito por si mesmo, a própria cultura sobrevaloriza a "imagem" e deve ser considerada narcisista.

O narcisismo do indivíduo corre a par com o da cultura. Modelamos nossa cultura de acordo com nossa imagem e, por sua vez, somos modelados por essa cultura. Podemos entender uma sem compreender a outra? Pode a psicologia ignorar a sociologia, ou vice-versa?

Nos 40 anos em que venho trabalhando como terapeuta, presenciei uma acentuada mudança nos problemas de personalidade das pessoas que me consultam. As neuroses de antigamente, representadas por culpas, ansiedades, fobias ou obsessões incapacitantes, não são comumente encontradas hoje em dia. Vejo, ao contrário, mais pessoas que se queixam de depressão; elas descrevem uma ausência de sentimento, um vazio interior, uma sensação profunda de frustração e de insatisfação com o que lograram realizar na vida. Muitas delas são bem-sucedidas profissionalmente, o que sugere uma divisão entre o que realizam no mundo e o que vai em seu íntimo. O que parece estranho é a relativa ausência de ansiedade e de culpa, apesar da seriedade do distúrbio. Essa falta de ansiedade e de culpa, conjugada com a ausência de sentimento, gera uma impressão de irrealidade em torno dessas pessoas. Seu desempenho – social, sexual e profissional – parece eficiente demais, mecânico demais, perfeito demais para ser humano. Elas funcionam mais como máquinas do que como pessoas.

Os narcisistas podem ser identificados pela ausência das melhores qualidades humanas: ternura, compaixão, solidariedade. Não sentem a tragédia de um mundo ameaçado por um holocausto nuclear, nem o drama de uma vida consumida tentando provar seu valor a um mundo indiferente. Quando a fachada narcisista de superioridade e singularidade desmorona, permitindo que a sensação de perda e tristeza se torne consciente, é frequentemente tarde demais. Um homem, diretor de uma grande empresa, foi informado de que tinha câncer incurável. Diante da morte iminente, descobriu o que a vida era. "Nunca dei atenção a flores antes", explicou ele, "nem ao sol e aos campos. Para mim, o amor nunca existiu." Pela primeira vez na vida adulta, esse homem foi capaz de chorar e de pedir ajuda à esposa e aos filhos.

Acredito que o narcisismo denota um grau de irrealidade no indivíduo e na cultura. A irrealidade não é apenas neurótica, ela toca as raias da psicose. Existe algo de loucura num padrão de comportamento que coloca o desejo de sucesso acima da necessidade de amar e ser amado. Há certa insanidade numa pessoa que não está em contato com a realidade de seu ser – o corpo e suas sensações. E existe algo de loucura numa cultura que polui o ar, as águas e a terra em nome de um padrão de vida "mais elevado". Porém, pode uma cultura ser insana? Em psiquiatria, tal ideia dificilmente é aceita como conceito. De modo geral, a loucura é vista como o estigma de um indivíduo que está alienado da realidade de sua cultura. Por esse critério (o qual tem certa validade), o narcisista bem-sucedido está longe de ser louco. A menos... a menos, é claro, que exista alguma insanidade na própria cultura. Pessoalmente, vejo a atividade frenética das pessoas nas grandes cidades – pessoas que estão tentando ganhar mais dinheiro, conquistar mais poder, ir em frente – como uma ponta de loucura. Não é o frenesi um sinal de loucura? Para entendermos a insanidade embutida no narcisismo, necessitaremos de uma visão mais ampla, não técnica, dos problemas de personalidade. Quando dizemos que o ruído na cidade de Nova York, por exemplo, é suficiente para "enlouquecer" qualquer mortal, utilizamos uma linguagem que é real, humana e significativa. Quando descrevemos alguém como "um tanto louco", expressamos uma verdade não encontrada na literatura psiquiátrica. Acredito que a psiquiatria ganharia muito se ampliasse seus conceitos e seu conhecimento a fim de incluir a experiência que as pessoas expressam em sua linguagem comum, cotidiana.

É minha intenção compartilhar com o leitor o meu entendimento do que seja a condição narcisista. Precisamos compreender as causas culturais que criam o problema e os fatores na personalidade humana que predispõem o indivíduo a ele. E cumpre-nos saber o que é ser humano se quisermos evitar tornar--nos narcisistas.

Meu tratamento de pacientes narcisistas procura ajudá-los a estabelecer contato com o próprio corpo, a recuperar seus sentimentos suprimidos e a reaver sua humanidade perdida. Tal abordagem implica trabalhar para reduzir as tensões e a rigidez musculares que refreiam os sentimentos, mas nunca considerei as técnicas específicas que uso o mais importante. A chave para a terapia é a compreensão. Sem compreensão, nenhuma abordagem ou técnica terapêutica é significativa ou eficaz em nível profundo. Somente com compreensão é possível oferecer ajuda de fato. Todos os pacientes buscam desesperadamente alguém que os compreenda. Quando crianças, não foram compreendidos por seus pais; não foram vistos como indivíduos dotados de sentimentos nem tratados com respeito por sua condição humana. Um terapeuta que não discirna a dor em seus pacientes, que não perceba o seu medo e ignore a intensidade da luta que travam para conservar sua sanidade, numa situação familiar suscetível de levá-los à loucura, não poderá ajudá-los a resolver o distúrbio narcisista.

1. Um espectro de narcisismo

O que distingue o distúrbio narcisista? O exemplo de um paciente – Erich – pode nos ajudar a obter um quadro mais nítido. É verdade que Erich era um tanto incomum na medida em que era quase *completamente* destituído de sentimentos. Mas, como veremos, agir sem sentimento constitui o transtorno básico na personalidade narcisista.

O CASO DE ERICH

Erich consultou-me juntamente com sua namorada Janice, porque o relacionamento deles estava se desintegrando. Tinham vivido juntos por vários anos, mas Janice declarou que não podia se casar com ele, embora o amasse muito, pois faltava algo na relação. Ela estava insatisfeita, como que vazia. Quando perguntei a Erich o que sentia, ele disse não entender as queixas da namorada. Tentava fazer o que ela queria; tentava satisfazer as necessidades dela. Se ao menos ela lhe dissesse o que ele poderia fazer para torná-la feliz, esforçar-se-ia por fazê-lo. Janice disse não ser esse o problema. Algo estava faltando nas reações dele. Assim, voltei a perguntar a Erich quais eram seus sentimentos. "Sentimentos!" – exclamou ele. "Eu não tenho sentimentos. Ignoro o que você quer dizer com sentimentos. Programo o meu comportamento de modo que ele seja eficiente no mundo."

Como explicar o que é sentimento? É algo que acontece, não algo que uma pessoa faz: é uma função corporal, não um processo mental. E Erich estava muito familiarizado com os processos mentais. Trabalhava num setor de alta tecnologia, que exigia especialização em informática. Com efeito, ele considerava a "programação" de seu comportamento uma chave para o seu êxito.

Dei o exemplo de como um homem apaixonado poderia sentir o coração pulsar mais forte à vista de sua amada. Erich respondeu que isso não passava de uma metáfora. Perguntei-lhe então o que ele pensava ser o amor, se não era um sentimento corporal. Amor, explicou-me, era respeito e afeição por outra pessoa. Entretanto, ele era capaz – assim pensava – de mostrar respeito e afeição, mas isso não parecia ser o que Janice queria. Também outras mulheres tinham se queixado de sua incapacidade de amar, mas ele jamais entendera o que elas queriam dizer com isso. Pude apenas sublinhar que a mulher quer sentir que o homem fica excitado e se "acende" na presença dela. O amor contém certo ardor ou paixão, que não é simplesmente respeito e afeição. Erich reagiu dizendo não querer que Janice o deixasse. Acreditava que podiam formar uma boa dupla para ter filhos e constituir uma parceria viável. Mas, se ela o deixasse, Erich não acreditava que viesse a sentir qualquer dor. Há muito, muito tempo ele se tornara imune ao sofrimento. Em criança, exercitara-se em prender a respiração até não sentir dor alguma. Perguntei-lhe se ficaria aborrecido caso Janice saísse com outros homens. "Não", respondeu ele. Sentiria ciúme? "O que é ciúme?", indagou. Se não há sensação de dor ou de perda quando alguém que amamos nos deixa, não pode haver ciúme. Esse sentimento provém do medo de uma possível perda do amor.

Quando Erich e Janice se separaram, ela levou consigo seu cachorro. Certo dia, Erich viu o cão na rua e sentiu uma dor na lateral do abdome. Com toda a seriedade, perguntou-me: "Isso é que é sentimento?"

O que acontecera para converter um ser humano numa máquina insensível? Teoricamente, especulei que devia ter havido sentimento demais ou pouco sentimento em sua infância. Quando mencionei essas possibilidades a Erich, ele disse que ambas as coisas eram verdadeiras. Sua mãe estava sempre à beira da histeria; seu pai não mostrava ter sentimento algum. Segundo ele, a frieza e a hostilidade de seu pai por pouco não enlouqueceram sua mãe. Era um pesadelo. Mas Erich assegurou-me de que não estava aflito com isso: "Minha falta de sentimento não me incomoda. Passo perfeitamente bem". A única resposta que pude dar foi: "Os homens mortos não têm dor e nada os incomoda. Você simplesmente se apagou". Pensei que tal comentário o atingiria, mas sua resposta surpreendeu-me. "Eu sei que estou morto", disse ele.

Erich explicou: "Quando eu era muito jovem, ficava apavorado com a ideia da morte. Decidi que, se já estivesse morto, nada teria a temer. Assim, considerei-me morto. Jamais achei que chegaria aos 20 anos de idade. Estou surpreso por ainda estar vivo".

O leitor deve estar achando insólita a atitude de Erich perante a vida. Ele via a si mesmo como uma "coisa" – inclusive usou esse termo ao descrever a imagem que fazia de si mesmo. Como um instrumento, seu objetivo era fazer algum bem às outras pessoas, embora admitisse que obtinha satisfação indireta com as reações delas. Por exemplo, descreveu-se como um excelente parceiro sexual, capaz de dar muito prazer a uma mulher. Sua namorada acrescentou: "Sim, fazemos bom sexo, mas não fazemos amor". Por estar emocionalmente morto, Erich demonstrava pouco prazer corporal no ato sexual. Sua satisfação provinha da reação da mulher. Mas, diante da falta de envolvimento pessoal, o clímax da sua parceira era muito limitado. E isso era algo que Erich não conseguia entender. Expliquei que a resposta orgástica do homem intensifica e aprofunda a excitação da mulher e a leva a um orgasmo mais completo. Pelo mesmo princípio, a resposta da mulher aumenta a excitação do homem. Tal reciprocidade, entretanto, só pode ocorrer em nível genital, ou seja, no ato da relação sexual. Erich admitiu que usava as mãos para levar uma mulher ao clímax, pois elas eram mais sensíveis do que o seu pênis. Com efeito, o ato sexual era mais um serviço prestado à mulher do que uma expressão de paixão. Ele não sentia paixão.

Contudo, Erich não podia ser totalmente despido de sentimento. Se o fosse, não teria vindo consultar-me. Ele sabia que algo estava errado e, no entanto, negava qualquer sentimento sobre isso; sabia que devia mudar, mas desenvolvera poderosas defesas para proteger-se. É impossível atacar tais defesas a menos que se entenda por completo sua função – e, mesmo assim, somente com a cooperação do paciente. Por que Erich erguera defesas tão poderosas contra o sentimento? Por que se enterrara num túmulo caracterológico? De que tinha realmente medo?

Acredito que a resposta é a loucura. Erich afirmou que receava a morte, o que, penso eu, era verdade. Mas seu medo da morte era consciente, ao passo que seu medo da loucura era inconsciente e, portanto, mais profundo. Creio que o medo da morte quase sempre provém de um desejo inconsciente de morrer. Erich preferia estar morto a ficar louco. Isso significa que ele estava mais próximo da loucura que da morte. Estava convencido (embora inconscientemente) de que permitir que qualquer sentimento alcançasse a consciência abriria uma fenda no dique; ele seria inundado e sobrepujado por uma torrente de emoção que o levaria à loucura. Em sua mente inconsciente, sentimento era equiparado à loucura e à sua mãe histérica. Erich identificava--se com o pai e considerava a razão, a vontade e a lógica iguais à sanidade mental e ao poder. Retratava-se como uma pessoa "sã" que podia estudar uma situação e reagir a ela lógica e eficientemente. A lógica, porém, é apenas a aplicação de certos princípios de pensamento a dada premissa. O que é lógico depende, portanto, da premissa de onde o indivíduo parte.

Fiz ver a Erich que a insanidade descreve o estado daquele que perde o contato com a realidade. Como os sentimentos são uma realidade básica da vida humana, não estar em contato com os próprios sentimentos é um sinal de insanidade. Desse ponto de vista, dei a entender que Erich seria considerado louco apesar da aparente racionalidade de seu comportamento. Tal sugestão teve um forte efeito sobre Erich, que me fez numerosas perguntas acerca da natureza da loucura. Expliquei-lhe que os sentimentos nunca são loucos; eles são sempre genuínos para o indivíduo. Quando, porém, ele não consegue aceitar nem incorporar os próprios sentimentos, quando estes parecem conflitar com o pensamento racional, poderá sentir-se dividido ou louco – os sentimentos, simplesmente, não fazem "sentido". Mas negar os próprios sentimentos tampouco faz sentido. Isso só pode ocorrer dissociando-se o ego do corpo, a base da própria consciência de que estamos vivos.[1]

E tem-se de realizar um esforço constante para suprimir todo o sentimento, para agir "como se". É exaustivo e despropositado. Comparei Erich a um fugitivo da justiça que não se atreve a entregar-se, mas descobre que é insuportável a tensão de ficar se escondendo o tempo todo. A paz só pode chegar com a rendição. Se Erich pudesse ver e aceitar que sua atitude era de fato insana, ele estaria mentalmente são. Essa explicação pareceu-lhe muito sensata.

O que podemos aprender sobre distúrbios narcisistas, com base no caso de Erich? A característica mais importante, creio eu, é a ausência de sentimento. Embora Erich tivesse eliminado as emoções num grau extremo, tal falta ou negação de sentimento é típica de todos os indivíduos narcisistas. Outro aspecto do narcisismo que se revelava na personalidade de Erich era a sua necessidade de projetar uma imagem. Ele apresentou-se como alguém empenhado em "fazer o bem para os outros", para usarmos suas palavras. Mas essa imagem era uma perversão da realidade. Aquilo a que chamava "fazer o bem para os outros" representava um exercício de poder sobre eles, o que, apesar de suas boas intenções declaradas, beirava o diabólico. Sob o disfarce de fazer o bem, por exemplo, Erich manipulava a namorada: fez que ela o amasse sem qualquer reação amorosa de sua parte. Essa manipulação é comum a todas as personalidades narcisistas.

Surge então uma pergunta: podemos considerar Erich grandioso em seu exercício do poder? Afinal de contas, ele descreveu-se como uma "coisa", o que dificilmente pode ser interpretado como uma imagem pomposa. Mas o "ele" que se observou a si mesmo, o "eu" que controlava a "coisa", era uma superpotência arrogante. Essa arrogância do ego é encontrada em todas as personalidades narcisistas, independentemente da falta de realização ou de amor-próprio.

UMA DEFINIÇÃO DO NARCISISTA

Por meio de Erich, começamos a entrever um retrato do narcisista. Mas como definir mais precisamente tal indivíduo? Em linguagem comum, descrevemos um narcisista como uma pessoa que está preocupada consigo mesma à custa de todos os outros. Como disse Theodore I. Rubin, eminente psicanalista e escritor, "o narcisista torna-se o seu próprio mundo e acredita que todo o mundo é ele".[2] É certamente esse o quadro em linhas gerais. Otto Kernberg, também ilustre psicanalista, forneceu-nos uma observação mais minuciosa de personalidades narcisistas. Em suas palavras, os narcisistas "apresentam várias combinações de ambição intensa, fantasias de grandeza, sentimentos de inferioridade e excessiva dependência da admiração e aprovação externas". Também características, em sua opinião, são "a incerteza crônica e a insatisfação consigo mesmos, a manipulação e a desumanidade conscientes ou inconscientes em relação aos outros".[3]

Mas essa análise descritiva do comportamento narcisista só nos ajuda a identificar o narcisista, não a compreendê-lo. Temos de olhar sob a superfície do comportamento para discernir o distúrbio subjacente da personalidade. A questão é a seguinte: o que leva uma pessoa a ser exploradora e a agir cruelmente em relação a outras e, ao mesmo tempo, a sofrer de incerteza e insatisfação crônicas?

Os psicanalistas reconhecem que o problema se desenvolve nos primeiros anos da infância. Kernberg aponta para a "fusão, na criança pequena, do *self* ideal, do objeto ideal e das imagens reais do próprio indivíduo como uma defesa contra uma realidade intolerável na área interpessoal"[4]. Em linguagem não técnica, Kernberg está dizendo que os narcisistas ficam agarrados à própria imagem. Com efeito, são incapazes de distinguir como imaginam ser da imagem do que realmente são. As duas visões tornaram-se uma só. Mas essa afirmação ainda não é suficientemente clara. O que ocorre é que o narcisista identifica-se com a imagem idealizada. A autoimagem real se perdeu. (Se isso ocorre porque ela se fundiu com a imagem idealizada ou é descartada em favor desta última, quase não tem importância.) Os narcisistas não se comportam de acordo com a autoimagem real, porque ela lhes é inaceitável. Mas como podem ignorar ou negar sua realidade? A resposta é que não olham diretamente para o *self*. Há uma diferença entre o *self* e sua imagem, tal como há entre a pessoa e seu reflexo num espelho.

Na verdade, toda essa conversa sobre "imagens" denuncia um ponto fraco na posição psicanalítica. Subjacente à explicação psicanalítica dos distúrbios narcisistas está a crença de que o que se passa na mente determina a personalidade. Ela não leva em consideração que o que se passa no corpo influencia o pensamento e o comportamento tanto quanto o que ocorre na mente. A consciência se interessa pelas imagens que regulam as nossas ações (ou até mesmo depende delas). Mas cumpre lembrar que uma imagem pressupõe a existência de um objeto que ela representa. A autoimagem – seja ela grandiosa, idealizada ou real – deve ter alguma relação com o *self*, que é mais do que uma imagem. Precisamos dirigir nossa atenção para o *self*, isto é, para o *self* corpóreo, que é projetado nos olhos da mente como uma imagem. Em outras palavras, equiparo o *self* ao corpo vivo, que inclui a mente. O sentimento do *self* depende da percepção do que se passa no corpo vivo. A percepção é uma função da mente e cria imagens.

Se o corpo é o *self*, a autoimagem real (a imagem real do *self*) deve ser necessariamente uma imagem corporal. A pessoa só pode rejeitar a autoimagem real negando a realidade de um *self corporificado*. Os narcisistas não negam que têm corpo. Sua apreensão da realidade não é tão fraca assim. Mas veem-no como um instrumento da mente, submetido à vontade deles. Funciona unicamente de acordo com suas imagens, sem sentimento. Embora o corpo possa funcionar eficientemente como instrumento, ter um desempenho igual ao de uma máquina ou impressionar como uma estátua, falta-lhe, no entanto, "vida". E é esse sentimento de vida que dá origem à experiência do *self*.

Em minha opinião, o distúrbio básico na personalidade narcisista é claramente a negação de sentimento. Eu definiria o narcisista como uma pessoa cujo comportamento não é motivado pelo sentimento. Mas, ainda assim, subsiste a interrogação: por que alguém opta por negar o sentimento? E outra pergunta relacionada à anterior: por que os distúrbios narcisistas são tão predominantes, hoje em dia, na cultura ocidental?

NARCISISMO *VERSUS* HISTERIA

De modo geral, o padrão de comportamento neurótico, em qualquer época em particular, reflete a ação de forças culturais. No período vitoriano, por exemplo, a neurose típica era a histeria. A reação histérica resulta do recalque da excitação sexual. Pode assumir a forma de uma explosão emocional que irrompe através das forças repressivas e assoberba o ego. A pessoa então chora ou grita incontrolavelmente. Contudo, se as forças repressivas mantêm seu domínio, sufocando qualquer expressão de sentimento, o indivíduo poderá, em vez disso, desmaiar, como acontecia a tantas mulheres vitorianas quando expostas a alguma manifestação pública de sexualidade. Em outros casos, a tentativa de reprimir uma experiência sexual precoce, aliada ao sentimento sexual, pode produzir o que se chama um sintoma de conversão. Nesse caso, a pessoa manifesta alguma perturbação funcional – como paralisia –, embora nenhuma base física possa ser encontrada para isso.

Foi por meio de seu trabalho com pacientes histéricos que Sigmund Freud começou a desenvolver a psicanálise e seu pensamento acerca da neurose. Porém, é importante não esquecer o contexto social em que suas observações foram feitas. De modo geral, a cultura vitoriana caracterizava-se por uma rígida estrutura de classes. A moralidade sexual e o excessivo recato sexual eram os padrões reconhecidos, sendo a austeridade, a compostura e a submissão às atitudes aceitas. Os modos de falar e de vestir eram cuidadosamente controlados e vigiados, sobretudo na sociedade burguesa: as mulheres usavam espartilhos bem apertados e os homens, colarinhos duros. O respeito pela autoridade prevalecia. Em consequência disso, muitas pessoas desenvolviam um superego severo e rígido, o qual limitava a expressão sexual e criava culpa e ansiedade intensas a respeito do sentimento sexual.

Hoje, mais de um século depois, o quadro cultural fez um giro de quase 180 graus. Nossa cultura é marcada por uma desintegração da autoridade dentro e fora do lar. Os hábitos sexuais parecem muito mais livres e condescendentes. A capacidade de mudar de um parceiro sexual para outro assemelha-se à sua capacidade física de mudar de um lugar para outro. O recato sexual foi substituído pelo exibicionismo e pela pornografia. Às vezes, perguntamo-nos se existe qualquer padrão aceitável de moralidade sexual. Em todo caso, vemos hoje menos pessoas sofrendo de um sentimento consciente de culpa ou ansiedade acerca de sexo. Ao contrário, muitas queixam-se de sua incapacidade de lidar com o sexo ou do temor de fracassar no desempenho sexual.

É claro que essa é uma comparação muito esquemática entre os tempos vitorianos e os modernos. Entretanto, pode servir para sublinhar o contraste entre os neuróticos histéricos da época de Freud e as personalidades narcisistas da nossa. Por exemplo, os narcisistas não sofrem de um superego severo e rígido. Muito pelo contrário. Eles parecem carecer do que poderia ser considerado até um superego normal, que forneceria certos limites morais ao comportamento sexual e a outros. Sem um senso de limites, tendem a atuar seus impulsos. Há uma ausência de moderação em suas reações a pessoas e situações. Também não se sentem coibidos pelos costumes ou pela moda. Veem-se como indivíduos livres para criar o próprio estilo de vida, sem regras sociais. Também nesse caso, o inverso dos histéricos da época de Freud.

Não apenas o quadro comportamental revela o contraste; oposição semelhante existe no nível de sentimento. Os histéricos são frequentemente descritos como hipersensíveis, como indivíduos que exageram os sentimentos. Os narcisistas, por outro lado, minimizam-nos, almejam ser "frios". Os histéricos parecem vergados ao peso de um sentimento de culpa do qual os narcisistas parecem aliviados. A predisposição narcisista é para a depressão, para uma sensação de vazio ou de ausência de sentimento, ao passo que na histeria a predisposição é para a ansiedade. Na histeria há um medo mais ou menos consciente de ser derrotado pelo sentimento; no narcisismo, esse medo é predominantemente inconsciente. Mas essas são distinções teóricas. Observa-se amiúde um misto de ansiedade e depressão por estarem presentes elementos tanto da histeria quanto do narcisismo. Isso ocorre sobretudo na personalidade de fronteira ou *borderline*, uma variedade do distúrbio narcisista que examinarei mais adiante neste capítulo.

Voltemos aos contrastes entre as duas culturas. A cultura vitoriana favoreceu sentimentos fortes, mas impôs restrições definidas e maciças à sua expressão, sobretudo na área da sexualidade. Isso culminou em histeria. Nossa cultura atual impõe relativamente menos restrições ao comportamento, encorajando inclusive a concretização de impulsos sexuais em nome da liberação, mas minimizando a importância do sentimento. O resultado é o narcisismo. Poderíamos também dizer que a cultura vitoriana enfatizou o amor sem sexo, ao passo que a nossa enfatiza o sexo sem amor. Considerando o fato de que essas afirmações constituem amplas generalizações, elas colocam em foco, no entanto, o problema central do narcisismo: a negação de sentimento e sua relação com uma ausência de limites. O que sobressai hoje é a tendência de considerar os limites restrições desnecessárias ao potencial humano. Os negócios são conduzidos como se não existisse um limite ao crescimento econômico, e até na ciência deparamos com a ideia de que podemos superar a morte, isto é, transformar a natureza à nossa imagem. Poder, desempenho e produtividade tornaram-se os valores dominantes, desalojando virtudes obsoletas como dignidade, integridade e respeito próprio (veja o Capítulo 9).

EXISTE UM NARCISISMO PRIMÁRIO?

É claro, o narcisismo não é exclusivo do nosso tempo. Existiu na época vitoriana e ao longo de toda a história da civilização. Tampouco o interesse pelos distúrbios narcisistas é novo para a psicologia. Já em 1914, Freud fez do narcisismo o tema de um estudo. Observando que o termo era originalmente aplicado a indivíduos que derivavam satisfação erótica da contemplação do próprio corpo, ele vislumbrou rapidamente que muitos aspectos dessa atitude podiam ser encontrados na maioria das pessoas. Pensou até que o narcisismo poderia ser parte do "desenvolvimento sexual regular dos seres humanos".[5,6] Originalmente, segundo Freud, temos dois objetos sexuais: nós mesmos e a pessoa que cuida de nós. Essa crença baseava-se na observação de que o bebê pode obter algum prazer erótico do próprio corpo, assim como do da mãe. Com isso em mente, Freud postulou a possível existência de "um narcisismo primário de todo indivíduo, que eventualmente pode se expressar de maneira dominante em sua escolha de objeto"[7].

A questão, neste caso, é saber se existe ou não uma fase normal de narcisismo primário. Se existe, o desfecho patológico pode ser visto como o fracasso da criança em passar da fase em que ela toma a si mesma como objeto de amor (narcisismo primário) para a fase de verdadeiro amor objetal (alter-dirigido). Implícita nessa ênfase sobre uma falha de desenvolvimento está a noção de uma deficiência que bloqueia o crescimento normal. Na minha opinião, o que é mais importante é a ideia de que o narcisismo resulta de uma distorção do desenvolvimento. Necessitamos procurar algo que os pais fizeram à criança, em vez de apenas apontar o que eles não fizeram. Infelizmente, as crianças estão sujeitas, com frequência, a ambos os tipos de trauma: os pais não fornecem suficiente nutrimento e apoio emocional, na medida em que não reconhecem nem respeitam a individualidade de seus filhos, mas também tentam, de modo sedutor, moldá-los de acordo com a imagem que alimentam de como eles deveriam ser. A falta de nutrimento e reconhecimento agrava a distorção, mas é a distorção que produz o distúrbio narcisista.

Não acredito no conceito de narcisismo primário. Ao contrário, considero todo o narcisismo secundário, proveniente de alguma perturbação no relacionamento pais-filho. Esse ponto de vista difere do da maioria dos psicólogos do ego, que identificam o narcisismo patológico como resultado da incapacidade de superar o estado narcisista primário. A crença deles num narcisismo primário assenta, predominantemente, na observação de que os bebês e as crianças pequenas só se veem a si mesmos, pensam somente em si mesmos e vivem apenas para si mesmos.

De fato, por um breve período após o nascimento, os bebês parecem sentir a mãe como parte deles próprios, como ela realmente era quando eles ainda estavam no ventre. A consciência do recém-nascido não se desenvolveu a ponto de reconhecer a existência independente de outra pessoa. Entretanto, essa consciência desenvolve-se rapidamente. Os bebês não tardam em mostrar que reconhecem a mãe como ser independente (sorrindo para ela), embora ainda ajam como se a mãe existisse apenas para satisfazer as necessidades deles. Essa expectativa por parte do bebê – de que a mãe estará sempre a postos para lhe atender – tem sido chamada de onipotência infantil. Tal termo, porém, parece-nos infeliz. Como sublinha o psicanalista britânico Michael Balint,

> é tido como ponto pacífico (pelo bebê) que o outro parceiro, o objeto no universo das amizades, terá automaticamente os mesmos desejos, interesses e expectativas. Isso explica por que isso é tão frequentemente chamado de estado de onipotência. Tal descrição é algo dissonante; na verdade, não existe um sentimento de poder, nenhuma necessidade de poder ou esforço, porquanto todas as coisas *estão* em harmonia.[8]

A questão do poder, porém, participa amiúde no relacionamento entre pais e filhos. Muitas mães ressentem-se do fato de a criança considerar ponto pacífico que ela, a mãe, estará sempre a postos para atender às necessidades do filho, independentemente dos próprios sentimentos. As crianças são muitas vezes acusadas de ambicionar o poder sobre seus pais, quando tudo que elas querem é ter suas necessidades entendidas e satisfeitas. Os bebês são totalmente dependentes e só podem pedir auxílio por meio do choro. As crianças também são impotentes. De fato, os pais é que são onipotentes com relação a seus filhos, pois detêm literalmente o poder de vida e de morte sobre eles. Por que então nós, adultos, nos referimos amiúde ao bebê como "sua alteza real"? A ideia de onipotência infantil sugere uma grandiosidade que justificaria a hipótese de um narcisismo primário. Entretanto, acredito que tudo isso está na mente adulta. O narcisismo dos pais é projetado na criança: "Sou especial e, portanto, meu filho é especial".

TIPOS DIFERENTES DE DISTÚRBIO NARCISISTA

Até agora, encaramos o narcisismo como um todo. Mas ele abrange um vasto espectro de comportamento; existem vários graus de distúrbio ou perda do *self*. Eu distingo cinco tipos diferentes de distúrbio narcisista, segundo a gravidade da perturbação e suas características específicas. Assim, as diferenças são tanto quantitativas como qualitativas. O elemento comum, entretanto, é sempre o narcisismo. Em ordem crescente, os cinco tipos de narcisismo são:

1. Caráter fálico-narcisista
2. Caráter narcisista[9]
3. Personalidade de fronteira
4. Personalidade psicopática
5. Personalidade paranoide

Temos, portanto, um espectro de distúrbios narcisistas, dos menos aos mais graves. Usando esse espectro, podemos ver mais claramente as relações entre diferentes aspectos do distúrbio narcisista. Por exemplo, o grau em que a pessoa se identifica com seus sentimentos é inversamente proporcional ao grau de narcisismo. Quanto mais narcisista ela é, menos está identificada com os próprios sentimentos. Além disso, nesse caso, tem maior identificação com a própria imagem (em oposição ao *self*), a par de um nível proporcional de grandiosidade. Em outras palavras, existe uma correlação entre a negação ou a ausência de sentimento e a falta de um senso do *self*.

Caráter fálico--narcisista	Caráter narcisista	Personalidade de fronteira	Personalidade psicopática	Personalidade paranoide
Mínimo	←	Grau de narcisismo	→	Máximo
Mínimo	←	Grandiosidade	→	Máximo
Mínimo	←	Ausência de sentimento	→	Máximo
Mínimo	←	Falta de senso do *self*	→	Máximo
Mínimo	←	Falta de contato com a realidade	→	Máximo

Lembremos que equiparo o *self* aos sentimentos ou à percepção do corpo. Entenderemos melhor a relação entre narcisismo e a falta de um senso de *self* se pensarmos no narcisismo como egoísmo, mais como uma imagem do que como um sentimento específico. A antítese entre ego (uma organização mental) e *self* (uma entidade corporal/perceptiva) existe em todos os adultos, ou melhor, em quem quer que tenha desenvolvido certa autoconsciência, a qual deriva da capacidade de formar uma autoimagem.[10] Como essa capacidade constitui uma função do ego, o narcisismo é corretamente visto como um distúrbio do desenvolvimento do ego.

Mas ser autoconsciente ou ter uma imagem do próprio *self*, a autoimagem, não é ser narcisista, a menos que a imagem tenha certa medida de grandiosidade. E o que é grandioso só pode ser determinado por referência ao *self* real. Se a pessoa vê a si mesma como atraente e sedutora para o sexo oposto, a imagem não é grandiosa se essa pessoa for, de fato, atraente e sedutora. A grandiosidade, o narcisismo, portanto, é uma função da discrepância entre a imagem e o *self*. Essa discrepância é mínima no caso do caráter fálico-narcisista – portanto, a estrutura da personalidade está mais próxima da saúde.

O caráter fálico-narcisista

Em sua forma menos patológica, narcisismo é o termo aplicado ao comportamento de homens cujo ego está investido na sedução de mulheres. São essas as personalidades descritas como fálico-narcisistas na literatura psicanalítica. Seu narcisismo consiste numa expansão de sua imagem sexual e numa preocupação com esta. Wilhelm Reich introduziu esse termo em 1926 para descrever um tipo de caráter que se situava algures entre a neurose de compulsão e a histeria. Disse ele: "O caráter fálico-narcisista típico é autoconfiante, algumas vezes arrogante, flexível, enérgico, muitas vezes impressionante em seu comportamento"[11].

A importância do conceito de fálico-narcisismo é dupla. Em primeiro lugar, sublinha a conexão íntima entre narcisismo e sexualidade – especificamente, a sexualidade em termos de potência erétil, cujo símbolo é o falo. Em segundo, descreve um tipo de caráter relativamente saudável, em que o elemento narcisista é mínimo. Como explicou Reich, ainda que o relacionamento dos fálico-narcisistas com a pessoa amada seja mais narcisista do que objeto-libidinal, "algumas vezes estabelecem fortes relações com pessoas e

Narcisismo

coisas do mundo". O seu narcisismo manifesta-se "[...] de maneira espalhafatosamente autoconfiante, com uma ostensiva exibição de superioridade e dignidade [...]". Mas "em representantes relativamente não neuróticos desse tipo, as atividades sociais são fortes, impulsivas, enérgicas, relevantes e em geral produtivas".[12]

Sempre me considerei um fálico-narcisista e, assim, tenho alguma ideia de como esse tipo de personalidade se desenvolve. Sei que eu era a menina dos olhos de minha mãe. Ela esperava que eu concretizasse suas ambições. Eu era mais importante para ela do que o meu pai. E, embora minha mãe não fosse, de modo manifesto, sexualmente sedutora, as implicações de seus sentimentos eram sexuais. Seu investimento emocional em mim forneceu uma medida extra de energia e excitação à minha personalidade. Contudo, sua necessidade de possuir-me e, portanto, de controlar-me, diminuiu o meu senso do *self*. Nessa situação, meu ego tornou-se maior do que o meu *self*, fazendo de mim uma personalidade narcisista. Por outro lado, por meio da minha identificação com o meu pai, que era uma pessoa simples, trabalhadora e amiga do prazer, preservei meu sentimento de amor pela vida do corpo, que está no âmago do sentimento do *self*.

Mas onde está o feminino em tudo isso? A contraparte feminina do homem fálico-narcisista é o tipo de caráter histérico.[13] Uso, aqui, o termo "histeria" (do grego *hystera,* ou "útero") para indicar a forte identificação dessa personalidade com a sexualidade feminina. O caráter histérico não é dado à histeria manifesta (sintoma observado em muitas personalidades esquizofrênicas). Trata-se mais do fato de que ela, tal como o homem fálico-narcisista, está preocupada com sua imagem sexual. Ela também é autoconfiante, arrogante, vigorosa e impressionante. Seu narcisismo manifesta-se numa tendência para ser sedutora e para medir seu valor pela atração sexual que exerce, baseada em seus encantos "femininos". Ela é e sente ser atraente para os homens, tendo um senso relativamente forte do *self*. Difere do homem fálico--narcisista porque a maciez é sua qualidade essencial (a maciez do útero), em oposição à identificação masculina com a dureza de sua ereção. Existem, é claro, mulheres que podem ser consideradas fálicas na estrutura e no comportamento. Têm menos sentimento, sexual ou outro, do que o caráter histérico, sendo mais narcisistas, mais comprometidas com uma imagem de superioridade do que com o *self* sensível. Pertencem ao tipo de caráter narcisista, que descreverei a seguir.

O caráter narcisista

Os narcisistas têm uma imagem mais grandiosa do ego que os fálico-narcisistas. Não são simplesmente melhores, são *os melhores*. Não são simplesmente atraentes, são *os mais atraentes*. Como assinala o psiquiatra James F. Masterson, têm necessidade de ser perfeitos e de fazer que os outros também os vejam assim.[14] E realmente, em muitos casos, os narcisistas *podem* exibir numerosas realizações e aparente sucesso, pois revelam com frequência uma grande capacidade de progredir no mundo do poder e do dinheiro. Têm-se em grande apreço, mas também os outros podem atribuir-lhes elevado valor, por causa de seu êxito mundano. Não obstante, sua imagem é grandiosa; ela é contraditada pela realidade do *self*. Os indivíduos de caráter narcisista estão completamente deslocados no mundo do sentimento e ignoram como devem se relacionar com outras pessoas de modo real e humano.

Uma forma de analisar as diferenças entre o caráter fálico-narcisista e o narcisista é por meio de suas fantasias. Quando caminha na rua, por exemplo, o homem fálico-narcisista pode imaginar que as mulheres o olham com admiração e os homens, com inveja. Em certo nível, ele se vê como um ser superior, mas reconhece também que pode ser inferior a outros. Quando o narcisismo é mais pronunciado, a fantasia poderá ser: "Quando caminho na rua, tenho a sensação de que as pessoas se afastam para me dar passagem. É como a separação das águas do Mar Vermelho para permitir que os hebreus o atravessassem. Sinto-me orgulhoso". Essa fantasia foi, de fato, relatada por um de meus pacientes, que disse saber que ela era irracional, mas ele se sentia daquela maneira. Ele identificava-se inconscientemente com aquelas celebridades para quem a polícia forma um corredor através da multidão de admiradores.

A personalidade de fronteira

O terceiro tipo de narcisista – a personalidade de fronteira – pode ou não manifestar abertamente os sintomas típicos de narcisismo. Alguns desses indivíduos projetam uma imagem de êxito, competência e comando no mundo, o que é corroborado, de fato, por realizações no universo artístico ou dos negócios. Em contraste com a fachada dos narcisistas, a dos indivíduos desse tipo desmorona facilmente sob estresse emocional, e a pessoa revela a criança impotente e assustada que existe em seu íntimo. Outras personalidades de fronteira apresentam-se como carentes, enfatizando sua vulnerabilidade e, em

Narcisismo

geral, dependência. Nesses casos, a grandiosidade e a arrogância subjacentes estão ocultas porque não podem ser corroboradas por realizações concretas.

A grandiosidade exibida pelos indivíduos de caráter narcisista é uma defesa relativamente eficaz contra a depressão; portanto, a fachada de superioridade é dificilmente desmontável. Em contrapartida, para as personalidades de fronteira, uma demonstração de êxito não propicia tal proteção. Na maioria dos casos, esses pacientes entram em tratamento com queixas de depressão. Os narcisistas e as personalidades de fronteira podem ter fantasias grandiosas semelhantes em conteúdo. O que difere, entretanto, é o nível de força do ego por trás dessas fantasias – à medida que são sustentadas por um verdadeiro senso do *self*.

O caso de Richard, uma personalidade de fronteira, esclarece a distinção que estou fazendo. Ele iniciou a terapia por causa da depressão que estava afetando sua vida sexual e seu trabalho. Embora tivesse um emprego importante, considerava-se um fracasso. Talvez não fosse suficientemente agressivo, pensava ele. De qualquer modo, não se sentia senhor da situação. Além disso, temia o sucesso.

Nada havia no aspecto de Richard que sugerisse um problema narcisista: não tinha uma aparência impressionante, dominadora, nem era deliberadamente cativante. Mas algo em seus modos fez-me questionar sua autoimagem. Quando lhe pedi que se descrevesse, respondeu: "Sinto que sou forte, enérgico, capaz. Sinto que sou mais esperto e mais competente que todos os outros, e deveria ser reconhecido como tal. Mas me retraio. Nasci para estar no topo. Nasci rei, superior aos demais. Sinto o mesmo no nível sexual. O sexo deveria ser-me oferecido. As mulheres deveriam cuidar de minhas necessidades, mas ajo da maneira oposta. Contenho-me sempre".

A ideia de ter "nascido rei", de ser extremamente especial, por certo se ajusta às fantasias do caráter narcisista. Mas Richard desculpa-se repetidamente, dizendo: "Eu me retraio". Em contraste, as pessoas de caráter narcisista não se contêm. Elas têm a agressividade necessária para obter certo grau de êxito, sugerindo uma força do ego que falta à personalidade de fronteira. Não devemos, porém, subestimar a grandiosidade do caráter de fronteira. Embora seja aparentemente menos óbvia do que no caráter narcisista, ela não deixa de estar presente, como se mostra em outro exemplo.

Carol estava fazendo terapia há vários anos, pois apresentava queixas de depressão e sentia-se inútil. Que tais sentimentos possam encobrir sentimentos subjacentes de superioridade não deve surpreender. Sabemos há muito tempo que ambos coexistem. Se uns estão no topo, os outros estão disfarçados.

Ao descrever-se para mim, Carol comentou: "Eu era uma ótima aluna na escola. Obtive sempre as notas mais altas. E tive um desempenho igualmente bom na universidade. Era considerada a melhor estudante e parabenizavam-me por meus talentos. Os professores entusiasmavam-se comigo. Diziam-me que eu era excepcional. Eu pensava ser a maior. Contudo, em meu atual trabalho, sinto que não sei o que estou fazendo. Sinto-me horrível. Acontecia o mesmo na casa de meus pais, quando eu era criança. Num minuto sentia-me maravilhosa e, no seguinte, uma merda. Minha mãe dizia que eu era a criança mais bela e mais inteligente. No dia seguinte, dizia que aquilo não era verdade, que ela o dissera apenas para me proteger, porque eu era muito emotiva. Levantava-me num minuto e no seguinte esmagava-me".

As observações de Carol assinalam uma diferença entre narcisistas e personalidades de fronteira. Embora a autoimagem do caráter narcisista seja grandiosa, ela está em conflito menos direto com a realidade, pois nunca foi de fato derrubada. Em contrapartida, a personalidade de fronteira vê-se presa entre dois pontos de vista contraditórios: ela é totalmente maravilhosa ou totalmente imprestável. A fantasia de grandeza "secreta" pode, nesse caso, se tornar ainda mais necessária a fim de compensar a ameaça real de nulidade. Existe, pois, menos conexão entre a imagem (fantasia) interior e o *self* real, por mais depreciativos que os comentários do paciente possam soar.

Entretanto, cumpre-me enfatizar que as diferenças entre os vários tipos narcisistas são, em grande parte, uma questão de grau. Alguns pacientes de fronteira, apesar de seus sentimentos de inferioridade e insegurança, alcançam sucesso profissional. E alguns narcisistas são perturbados por uma sensação de inadequação, apesar de sua fachada de autoconfiança e domínio. Nesses casos, pode haver dúvida quanto ao diagnóstico exato. É certo que não há necessidade de um diagnóstico exato para iniciar o tratamento, pois o que devemos tratar é o indivíduo, não o sintoma. Não obstante, o diagnóstico pode ajudar-nos a compreender melhor o distúrbio subjacente de personalidade. Com o diagnóstico de distúrbio de caráter narcisista, por exemplo, esperamos que o paciente tenha um ego e um senso do *self* mais bem desenvolvidos do que a personalidade de fronteira, de modo que nossa ênfase poderá ser ligeiramente diferente no tratamento.

Narcisismo

Essa distinção cria um problema teórico para muitos autores psicanalíticos, que veem o narcisismo como resultante de um desenvolvimento deficiente do ego. Como explica Masterson, "em termos de desenvolvimento, embora a representação *self* objeto esteja fundida, o [caráter] narcisista parece obter o benefício, para o desenvolvimento do ego, que se acredita ocorrer tão somente como resultado da separação dessa fusão".[15] Para esses autores, a grandiosidade representa uma continuação da onipotência infantil, a qual provém do fracasso da criança em formar uma identidade separada da do objeto de amor primário, a mãe. A fusão de representações do *self* e do objeto é característica do estado infantil. O problema pode ser reformulado da seguinte maneira: se, em nível emocional, o caráter narcisista é ainda um bebê vinculado à mãe, como explicar sua posse de uma agressividade que está orientada para o mundo e culmina em realizações que estão além da capacidade da personalidade de fronteira?

Não acredito que possamos resolver esse problema se nos apoiarmos na premissa de onipotência infantil e considerarmos o narcisismo *somente* o resultado de uma falha no desenvolvimento. Se abandonarmos o conceito de onipotência infantil, poderemos procurar a causa da grandiosidade na relação dos pais com a criança, em vez da relação da criança com os pais. Um rapaz não se julga um príncipe devido à falha no desenvolvimento normal. Se ele acredita ser um príncipe, é porque foi criado nessa crença. O modo como as crianças veem a si mesmas reflete quase sempre o modo como seus pais as veem e as tratam.

A personalidade psicopática

Avançando em nosso espectro para a personalidade psicopática, é lícito esperar um grau ainda maior de grandiosidade, seja manifesta ou latente. Todas as personalidades psicopáticas se consideram superiores às outras pessoas e mostram um nível de arrogância que beira o desprezo pela humanidade comum. Tal como os outros narcisistas, elas também negam seus sentimentos. Particularmente característica das personalidades psicopáticas é a tendência a atuar, quase sempre de modo antissocial. Elas mentirão, fraudarão, roubarão, até matarão, sem qualquer indício de culpa ou remorso. Essa ausência extrema de sentimento pelos seus semelhantes torna as personalidades psicopáticas muito difíceis de tratar.

O termo "atuar" descreve um tipo impulsivo de comportamento que ignora os sentimentos de outras pessoas, geralmente destruindo o que é mais interessante para o *self*. Os impulsos subjacentes nesse comportamento resultam de experiências no começo da infância que foram tão traumáticas e impactantes que não puderam ser integradas no ego em desenvolvimento. Em consequência disso, os sentimentos associados a esses impulsos estão além da percepção do ego. Portanto, a ação é concretizada sem qualquer sentimento consciente. O homicídio a sangue-frio é um exemplo extremo da atuação psicopática. Mas ela não está propriamente limitada ao comportamento antissocial. O alcoolismo, a toxicomania e o comportamento sexual promíscuo são outras de suas formas.

A atuação não está, contudo, limitada à personalidade psicopática. Masterson reconhece que também indivíduos narcisistas e personalidades de fronteira atuam. Mas há uma diferença. Como ele observou, "a atuação do psicopata, comparada com a dos distúrbios [de caráter] narcisista ou de fronteira, é mais antissocial e quase sempre de longa duração"[16]. Também aqui vemos que as diferenças são uma questão mais de grau do que de gênero.

Como as personalidades psicopáticas representam um extremo, elas fornecem muitos *insights* sobre a natureza do narcisismo. Não só retratam em nítido relevo a tendência dos narcisistas a atuar (o que, em outros casos, é menos antissocial) como ressaltam a grandiosidade subjacente dos narcisistas. É significativo, por exemplo, que os indivíduos de caráter narcisista e as personalidades psicopáticas mostrem uma necessidade de satisfação imediata, uma incapacidade de conter o desejo ou tolerar a frustração. Poderíamos encarar essa fraqueza como uma expressão de infantilismo na personalidade, mas acredito que isso tem significado e origem diferentes, refletindo o senso debilitado do *self*. Cumpre recordar que em outros aspectos – a saber, em sua capacidade de manipular pessoas, organizar e promover planos e atrair seguidores – os narcisistas e as personalidades psicopáticas são tudo menos infantis.

Ao dizer isso, devo acrescentar que as personalidades psicopáticas não são necessariamente o que a sociedade chama de "fracassados". Existem psicopatas bem-sucedidos. Segundo Alan Harrington, que realizou um estudo dessas personalidades, "pessoas brilhantes, implacáveis, dotadas de inteligência glacial, incapazes de amor ou remorso, com intenções agressivas quanto ao resto do mundo"[17]. Tal indivíduo pode ser um talentoso advogado, executivo ou político. "Em vez de assassinar seres humanos", comenta Harrington, essa pessoa "poderá tornar-se um empresário agressivo, arrasando com as

Narcisismo

empresas concorrentes, despedindo indivíduos em vez de matá-los, degolando empregos em vez de cabeças"[18]. Ironicamente, a chave para esse tipo de "êxito" é a falta de sentimento – chave de todos os distúrbios narcisistas. Como vimos, quanto maior for a negação de sentimento, mais narcisisticamente perturbada a pessoa está.

A personalidade paranoide

Na outra extremidade do espectro, a mais distanciada da saúde, está a personalidade paranoide, que denota uma nítida megalomania. Os paranoides acreditam que as pessoas não só estão olhando para elas como também falando delas; até mesmo conspirando contra elas, por serem muito especiais e importantes. Por vezes acreditam ter poderes extraordinários. Quando não conseguem distinguir a fantasia do fato, sua loucura é clara. Nesse caso, estamos lidando com a paranoia plena – condição mais psicótica do que neurótica – e o tratamento será obviamente diferente. Não obstante, mesmo em tais casos extremos, encontramos a maioria das características do narcisismo: grandiosidade extrema, uma acentuada discrepância entre a imagem do ego e o *self* real, arrogância, insensibilidade aos outros, negação e projeção.

Assim como pode ser difícil distinguir os distúrbios narcisistas em nosso espectro, também poderá ser difícil, por vezes, traçar uma linha divisória clara entre neurose e psicose. O próprio termo "fronteira" foi criado para indicar uma estrutura de personalidade que se situa em algum ponto entre as duas, participando, ao mesmo tempo, de algo que é mentalmente são e mentalmente insano. Se a sanidade mental é medida pela congruência entre a imagem do ego de uma pessoa e a realidade do seu *self* ou corpo[19], podemos postular que existe um grau de insanidade em todo distúrbio narcisista. Voltando ao começo, a autorrepresentação de Erich como uma "coisa" denota um nível de irrealidade que beira a insanidade.

2. O papel da imagem

É comum pensarmos no narcisismo como um amor exorbitante por si mesmo, com uma correspondente ausência de interesse e de sentimento pelas outras pessoas. Descreve-se o narcisista como egoísta e ganancioso, alguém cuja atitude é "eu primeiro" e, na maioria dos casos, "somente eu". Mas tal retrato só é parcialmente correto. Os narcisistas mostram, de fato, uma falta de interesse pelos outros, mas também são insensíveis às próprias e verdadeiras necessidades. Com frequência, seu comportamento é autodestrutivo. Além disso, quando falamos do amor dos narcisistas por "si mesmos", é preciso fazer uma distinção. O narcisismo indica um investimento na própria imagem, em oposição ao próprio *self*. Os narcisistas amam sua imagem, não seu verdadeiro eu. Têm um senso muito pobre de *self*; não estão dirigidos para si mesmos. Ao contrário, suas atividades visam enaltecer sua imagem, muitas vezes à custa do *self*.

Mas não nos preocupamos todos com a nossa imagem e não investimos uma boa dose de energia tentando melhorá-la? Muitas pessoas consomem considerável tempo e dinheiro escolhendo roupas que criarão a espécie de imagem que desejam projetar. Acreditamos que a aparência é importante e, com frequência, damo-nos ao trabalho de selecionar minuciosamente aquilo que nos possa proporcionar a aparência mais favorável. Queremos parecer mais jovens, mais belos, mais viris, mais chiques etc. Alguns recorrem até à cirurgia plástica para conseguir tais fins. Essa preocupação com a aparência constitui parte tão fundamental do nosso modo de vida que poderemos até considerar emocionalmente perturbada uma pessoa que negligencia sua aparência.

Quer dizer, então, que somos todos narcisistas? Isto significa que o narcisismo é um aspecto normal da personalidade humana? Não. Na minha opinião, o narcisismo é uma condição patológica. Estabeleço uma distinção entre a preocupação saudável com a própria aparência, baseada no senso do *self*, e o deslocamento da identidade do *self* para a imagem, o que é característico do estado narcisista. Essa concepção de narcisismo está de acordo com o mito de Narciso.

O MITO DE NARCISO

Segundo o mito grego, Narciso era um belo jovem tespiano[20] por quem a ninfa Eco se apaixonou. Eco fora privada de fala por Hera, a esposa de Zeus, e só podia repetir as últimas sílabas das palavras que ouvia. Incapaz de expressar seu amor por Narciso, foi por este rejeitada e morreu de desgosto, com o coração dilacerado. Os deuses puniram então Narciso por seu tratamento desalmado para com Eco, fazendo-o apaixonar-se pela própria imagem. O vidente Tirésias profetizara que Narciso viveria até ver-se a si mesmo. Um dia, quando se debruçava sobre as águas cristalinas de uma fonte, Narciso viu a própria imagem refletida na água. Ficou perdidamente enamorado dela e recusou-se a abandonar o local. Morreu de debilidade e metamorfoseou-se numa flor – o narciso que cresce à beira de fontes e mananciais.

É significativo que Narciso só se apaixonasse por sua imagem depois de ter rejeitado o amor de Eco. Enamorar-se da própria imagem – isto é, tornar--se narcisista – é visto no mito como uma forma de punição por ser incapaz de amar. Mas levemos a lenda um passo mais além. Quem é Eco? Ela poderia ser a nossa voz que nos está sendo devolvida. Assim, se Narciso pudesse dizer "Eu te amo", Eco repetiria essas palavras e Narciso se sentiria amado. A incapacidade de dizer essas palavras identifica o narcisista. Tendo retirado sua libido das pessoas no mundo, os narcisistas estão condenados a enamorar-se da própria imagem – isto é, a dirigir a libido para o próprio ego.

Outra possível interpretação é interessante. Ao rejeitar Eco, Narciso rejeitou também a própria voz. Ora, a voz é a expressão do ser íntimo da pessoa, o *self* corporal, em oposição à aparência superficial. A qualidade da voz é determinada pela ressonância do ar nas passagens e câmaras internas. A palavra "personalidade" reflete essa ideia. *Persona* significa que se pode conhecer a pessoa pelos sons que ela emite. De acordo com essa interpretação, Narciso negou seu ser interior em favor de sua aparência. E essa é uma manobra típica dos narcisistas.

Qual é a importância da profecia feita pelo vidente Tirésias – a de que Narciso morreria quando visse a si mesmo? Que bases poderiam existir para tal predição? Acredito que tinha de ser a excepcional beleza de Narciso. Tal beleza, num homem ou numa mulher, prova frequentemente ser mais uma maldição do que uma bênção. O perigo é que a consciência de tal beleza suba à cabeça da pessoa, tornando-a egoísta. Outra possibilidade é que essa beleza desperte paixões violentas de desejo e inveja em outros, redundando em tragédia. A história e a ficção contêm muitos casos de desfecho infeliz para a vida de seres humanos belos. O caso de Cleópatra é um dos mais conhecidos. Por ser uma pessoa sábia, o vidente compreende esses perigos.

AUTOEROTISMO E NARCISISMO

Voltemos agora à história psiquiátrica do termo "narcisismo". Ele foi originalmente introduzido para explicar o comportamento de pessoas que obtêm excitação erótica contemplando, acariciando e tocando o próprio corpo. Tal comportamento era considerado uma perversão. Como vimos no Capítulo 1, entretanto, Freud reconheceu que alguns aspectos dessa atitude podiam ser encontrados em outros distúrbios e talvez até em pessoas normais. Ao desenvolver seu pensamento acerca do narcisismo, Freud mostrou que a esquizofrenia acarretava uma igual perda de interesse libidinal em pessoas e coisas do mundo externo. Portanto, ele distinguiu a esquizofrenia das neuroses obsessivas e da histeria, nas quais existe também uma relação distorcida com objetos sexuais, mas com uma diferença: nas neuroses, segundo Freud, o interesse sexual (ou libido) ainda está ligado ao objeto na forma de fantasia, embora as atividades motoras necessárias para estabelecer um relacionamento real estejam bloqueadas; já na esquizofrenia, a libido é retirada do objeto ou de sua imagem e concentrada na imagem do sujeito, produzindo megalomania. Nas palavras de Freud: "A libido retirada do mundo exterior foi dirigida ao ego, dando origem a uma conduta que podemos chamar de narcisismo."[21]

Uma questão se impôs no espírito de Freud, tal como deve impor-se no nosso: qual é a diferença entre a perversão narcisista e as atividades autoeróticas, como a masturbação? Ninguém caracteriza a masturbação como narcisista, embora a satisfação sexual provenha dos afagos e manipulações do próprio corpo. A diferença é que, na masturbação, o corpo é reconhecido como o *self*. Numa perversão, porém, vê-se o próprio corpo como objeto sexual – isto é, como se fora outra pessoa. O indivíduo não se identifica com seu corpo; ao contrário, dissocia-se dele. Narciso, por exemplo, não estava enamorado de si mesmo, mas de sua imagem, que assumiu uma realidade independente. Em termos simples, as atividades autoeróticas são uma manifestação de amor do *self*, ao passo que o narcisismo é uma forma de imagem ou amor do ego.

SELF E EGO

Mas o que entendo exatamente por amor do *self*, em contraste com uma preocupação narcisista? Para compreender isso, é preciso esclarecer o conceito de *self*. Acredito que o bebê nasce com um *self* que é um fenômeno biológico, não psicológico. O ego, em contrapartida, é uma organização mental que se desenvolve à medida que a criança cresce. O senso do *self* ou a consciência do eu nasce quando o ego (o "eu" mental) é moldado pela autoconsciência, pela autoexpresão e pelo autocontrole. Mas esses termos referem-se à sensibilidade – à consciência, à expressão e ao domínio das sensações. O *self*, portanto, pode ser definido como o aspecto sensível do corpo. Só pode ser vivenciado como sensação. Dizemos: "Sinto-me faminto, triste, sonolento" etc. Mais simplesmente, é claro, dizemos: "Estou furioso, triste, faminto, sonolento" etc. Com efeito, enfatizar a sensação desse modo faz da afirmação uma expressão do *self*. Se a ênfase é colocada sobre o "eu", torna-se uma afirmação do ego.

Deve-se evitar a confusão ou identificação do ego com o *self*. O ego não é o *self*, embora seja a parte da personalidade que o percebe. Na realidade, o ego representa a autoconsciência ou consciência do *self*: Eu (ego) sinto (percebo) que o meu *self* está colérico. Descartes estava certo quando disse: "Eu penso, logo eu existo" (com ênfase sobre o *eu*). Ele estaria errado se acreditasse que o pensamento determinou o *self*. Pode-se dizer que os computadores pensam; o que eles não fazem é sentir.

Ao dissociar o ego do corpo ou *self*, os narcisistas separam a consciência de seu alicerce vivo. Em vez de funcionar como um todo integrado, a personalidade é dividida em duas partes: um "eu" (o ego) ativo e observador, com o qual o indivíduo se identifica, e um objeto passivo, observado (o corpo). É verdade que o ego está envolvido na percepção do estado interior do organismo e com o que acontece no mundo, e ajuda a adaptar um ao outro a fim de promover o bem-estar do *self*. Uma função do ego, por exemplo, é controlar a ação da musculatura voluntária por meio da vontade, regulando assim a resposta consciente da pessoa ao mundo. Mas, repetimos, o ego não é *o self* – é apenas o aspecto consciente deste. Tampouco está separado do *self*. A precisão de sua percepção depende de sua conexão, como parte do *self*.

Narcisismo

A maior parte do *self* consiste no corpo e nas suas funções, a maioria das quais operam abaixo do nível da consciência. O inconsciente pode ser comparado à parte submersa de um *iceberg*. Funções involuntárias como circulação, digestão e respiração exercem um profundo efeito sobre a consciência, pois determinam o estado de ser do organismo. Dependendo do funcionamento do corpo, a pessoa pode sentir-se bem ou doente, de bom humor ou abatida, cheia de vitalidade ou deprimida, sexualmente excitada ou impotente. O que sentimos depende do que acontece no corpo. A vontade ou ego é incapaz de criar uma sensação, embora possa tentar controlá-la. Não é possível desejar, pelo uso da vontade, uma reação sexual, um apetite, um sentimento de amor ou mesmo de cólera – embora "pensemos" poder. As imagens podem focalizar essas sensações na consciência, desde que já estejam presentes no corpo como eventos potenciais. Para que acontecimentos corporais levem à percepção do que é sentido, os eventos devem atingir a superfície do corpo e a superfície da mente, onde se localiza a consciência. Apenas essa parte do *iceberg* que se encontra na superfície da água ou acima dela é visível.

Temos uma relação dual com o nosso corpo. Podemos vivenciar o corpo diretamente por meio da sensação ou ter uma imagem dele. No primeiro caso, estamos imediatamente ligados ao *self*, ao passo que, no segundo, a conexão é indireta. Uma pessoa saudável tem essa consciência dual, mas isso não cria nenhum problema porque a imagem do *self* e a experiência direta deste através do corpo coincidem. Tal estado pressupõe autoaceitação – uma aceitação e uma identificação com o corpo e com suas sensações. A autoaceitação é o que falta aos indivíduos narcisistas, que dissociaram o corpo de tal modo que a libido é investida no ego e não no corpo ou *self*. Sem autoaceitação não há amor do *self*.

Há muito tempo venho defendendo o ponto de vista de que, se a pessoa não se ama a si mesma, não pode amar os outros. O amor pode ser visto como uma partilha do *self* com outra pessoa. A relação sexual é uma verdadeira expressão de amor quando existe essa partilha, mas um ato narcisista quando ela inexiste. A intimidade descreve a partilha do *self*. Mas precisamos ter a percepção do *self* para poder compartilhá-lo. Embora nasçamos com um *self*, podemos deixar de senti-lo se nos voltarmos contra ele, se investirmos nossas energias (a libido de Freud) no ego ou na imagem do *self*. Todos precisamos dos outros. Se percebemos o *self*, necessitamos de outra pessoa para compartilhá-lo. Ainda que falte, porém, a percepção do *self*, como no caso do

35

narcisista, precisamos de outros – para apoiar e aplaudir a imagem do nosso *self*, nossa autoimagem. Sem a aprovação e a admiração de outros, o ego narcisista esvazia-se, pois não está ligado ao amor do *self* nem é por este alimentado. Por outro lado, a admiração que o narcisista recebe apenas expande o seu ego; nada faz pelo *self*. No final, pois, o narcisista rejeitará os admiradores, tal como rejeitou o verdadeiro *self*.

A relação entre o ego e o *self* é complexa. Sem um ego, não pode haver senso do *self*. Mas, sem um *self* sentido, a noção de identidade passa a estar ligado ao "eu". De fato, o ser humano é uma identidade dual – derivando uma parte da identificação com o ego e a outra da identificação com o corpo e suas sensações. Do ponto de vista do ego, o corpo é um objeto a ser observado, estudado e controlado no interesse de um desempenho que esteja à altura da imagem da pessoa. Nesse nível, a identidade é representada pelo "eu" em suas funções de percepção consciente, pensamento e ação. É também segundo essa perspectiva que podemos corretamente dizer: "Eu penso, logo eu existo". E poderíamos acrescentar: "Eu quero, logo eu existo" – pois a vontade é um aspecto importante do ego.

Mas e quanto ao outro ponto de vista? Somos impelidos tanto pelos sentimentos como pela vontade – isso se não tivermos negado os nossos sentimentos. Somos levados às lágrimas, ou à cólera, ou a qualquer outra emoção, e nossa noção de ser identifica-se com o sentimento. Além disso, dizer "Estou triste" ou "Estou furioso" expressa a ideia de que somos o que sentimos. Nesse caso, é o corpo que desempenha o papel ativo, informando a mente de seus desejos e necessidades e determinando a direção e o objetivo das ações do indivíduo.

É claro, ambas as posições são válidas: nós pensamos e sentimos. Nossa identidade dual apoia-se em nossa capacidade de formar uma imagem do *self* e em nossa percepção consciente do *self* corporal. Numa pessoa saudável, as duas identidades são congruentes. A imagem ajusta-se à realidade do corpo como uma luva à mão do seu dono. Quando existe falta de congruência entre a imagem do *self* e o *self*, ocorre então um distúrbio de personalidade. A seriedade desse distúrbio está em proporção direta ao grau de incongruência. A discrepância é extremamente marcada na esquizofrenia, em que a imagem quase não tem nenhuma relação com a realidade. As instituições psiquiátricas abrigam muitas pessoas que se consideram Jesus Cristo, Napoleão ou outra figura célebre. Como essa imagem conflita nitidamente com a realidade corporal, o resultado é confusão. O esquizofrênico tenta desfazer essa confusão,

Narcisismo

dissociando a realidade de seu corpo, o que leva a uma fuga da realidade mais ampla. Nos distúrbios narcisistas, a incongruência é menor do que na esquizofrenia, mas suficiente para produzir uma divisão na identidade, o que resulta em confusão. Os narcisistas evitam a confusão negando a identidade sediada no corpo – sem, entretanto, dissociar-se dele. Ao concentrarem a atenção e o interesse exclusivamente na imagem, eles podem ignorar o *self* corporal. Ao impedir que quaisquer sentimentos fortes cheguem à consciência, podem tratar o corpo como um objeto submetido ao controle de sua vontade. No entanto, porque permanecem conscientes do corpo, continuam orientados no tempo e no espaço.

Recordemos a afirmação de Freud de que, no narcisismo, a libido é retirada dos objetos no mundo e dirigida para o ego. Poderíamos acrescentar que a libido é retirada do corpo e investida no ego. Com efeito, os dois enunciados são idênticos, já que só vivenciamos o mundo externo por meio do corpo. Se negarmos sentimento ao corpo, cortamos nossas relações emocionais com o mundo.

O investimento de libido ou energia no ego ou na imagem constitui, com frequência, uma ação deliberada. As pessoas dedicam-se a muitas atividades destinadas sobretudo a enaltecer sua imagem. Conquistar poder e ganhar dinheiro, por exemplo, tem pouca relação, na maioria dos casos, com os sentimentos no nível do corpo. A satisfação que proporcionam ao ego emana de seu apoio à imagem do indivíduo. Publicar um livro, por exemplo, pode fazer grandes coisas pelo ego de um indivíduo, o qual talvez baseie sua identidade no fato de ser um autor. Mas isso nada faz pelo seu corpo e muito pouco faz por sua noção de *self* baseado no corpo. Se o ego da pessoa se assoberba por causa do êxito ou da realização, a congruência com a realidade de seu corpo estará perdida. Nesse caso, a confusão só pode ser evitada pela negação do corpo e de seus sentimentos. Pouco importa se a realização é de interesse público e se sua consequência for a superinflação do ego. As pessoas podem ter uma imagem pública baseada em sua posição social e poder, mas isso não as faz narcisistas. Elas tornam-se narcisistas, no entanto, se basearem sua identidade pessoal nessa imagem pública e não em seus sentimentos corporais.

IMAGEM E CORPO

É um sinal da tendência narcisista de nossa cultura que as pessoas tenham-se tornado tão envolvidas com sua imagem. A preocupação atual com o corpo reflete, em parte, essa atitude narcisista, como assinalou Christopher Lasch.[22] Contudo, isso também reflete, em parte, uma preocupação com a saúde. Acredito sem reservas que precisamos estar conscientes de nosso corpo e dedicar-nos a atividades físicas que aumentem nossa vitalidade. Para muita gente, porém, o objetivo dos exercícios é ter um bom aspecto (não sentir-se bem), de acordo com o atual padrão da perfeição. Essas pessoas querem um corpo esguio, rijo, firme, capaz de funcionar como uma máquina eficiente sob o comando da vontade. Ou podem ter em vista uma qualidade estatuesca, o corpo de um jovem Adônis ou de uma Vênus. Um exemplo extremo é a prática corrente de musculação mediante o uso de pesos, o que produz músculos enormes e superdesenvolvidos. Em minha opinião, esse é um empreendimento narcisista, nocivo à saúde mental e física. A musculatura robusta pode fazer uma pessoa parecer forte, mas reduz a espontaneidade e a vivacidade do corpo e restringe seriamente a respiração.

Alguma indicação da atual devoção narcisista à moda é destacada pelo título de um livro recente sobre exercícios e aptidão físicos: *Don't be fat – Be flat* (Não seja gordo – seja chapado). O termo refere-se a um abdome plano – isto é, sem barriga. Mas, para tanto, a pessoa teria de retesar os músculos abdominais ao ponto em que a respiração abdominal (um fenômeno normal e saudável) seria quase impossível. E, independentemente de seu efeito adverso sobre a saúde, o termo indica uma característica negativa do ponto de vista da aparência e do gosto. Algo "chapado" indica esgotado e desinteressante. "Chapar" alguém é persegui-lo, atingi-lo. E, em termos psicológicos, os afetos rasos indicam ausência de sentimentos. Mas, é claro, nesses termos conseguimos entender por que os narcisistas podem encarar a "chapadez" como uma virtude.

Nada disso nega o valor de uma boa aparência quando esta é uma expressão de que nos sentimos bem em nosso próprio corpo. Nesse caso, a boa aparência manifesta-se nos olhos brilhantes, na pele reluzente, numa expressão facial suave e agradável e num corpo que é vibrantemente gracioso e fluido nos movimentos. Sem um bom sentimento corporal, a pessoa só pode projetar uma imagem do que acha que deve ser um corpo de boa aparência. Quanto mais ela se concentra nessa imagem, mais se priva de bons sentimentos no próprio corpo. No final, a imagem prova ser apenas uma pobre máscara; não mais esconde a tragédia da vida interior vazia.

O CASO DE ANN

Trabalhei recentemente com uma jovem chamada Ann que tinha um sorriso constante no rosto para mostrar ao mundo como era feliz e satisfeita. Entretanto, essa expressão era traída pelo queixo tenso e estreito e pela testa achatada, o que conferia ao seu rosto uma expressão dura e soturna. Ann não tinha consciência dessa contradição. Estava identificada com a imagem sorridente, feliz, e considerava-se uma pessoa responsável, cortês e solícita.

Quando perguntei sobre seus antecedentes, Ann disse que era a mais velha de três filhos. Sempre fora uma "boa" menina, fazendo o que se esperava dela e tomando conta dos irmãos mais novos. Quando cresceu, manteve esse padrão de comportamento – isso se tornara uma espécie de segunda natureza para ela. Todavia, em algum nível profundo, tal comportamento a deixava insatisfeita e irrealizada. Assim, Ann não se mostrou inteiramente surpreendida quando apontei a rigidez estereotipada de seu queixo e de sua testa. Concordou quando sugeri que, enquanto fazia muito pelos outros, pedia muito pouco para si mesma.

O sorriso de Ann era uma fachada erguida para esconder de si mesma e do mundo sua infelicidade. A imagem de jovem feliz tinha muito pouca relação com a realidade do seu ser ou de seus sentimentos. Como surgiu essa imagem? Ann mencionou que seu pai costumava dizer-lhe que procurasse mostrar um rosto feliz, independentemente de como se sentisse. Ninguém amaria uma pessoa de semblante triste. Assim, Ann negou seus sentimentos e adotou uma imagem que fosse aceitável para seu pai. Nesse processo, ela teve de sacrificar seu verdadeiro *self*.

O caso de Ann mostra como uma imagem pode ser mal-usada, como pode substituir um *self* inaceitável por uma fachada aceitável, até admirada. Essa substituição ocorre na infância, sob a pressão dos pais que deixam a criança sem escolha. Mas, uma vez feita a substituição, a imagem adquire importância suprema. A pessoa admira agora a imagem que projeta e, tal como Narciso, apaixona-se por ela. Esse amor não é amor do *self*, pois com essa fachada o verdadeiro *self* foi rejeitado e considerado inaceitável.

A HISTÓRIA DE DORIAN GRAY

O retrato de Dorian Gray, de Oscar Wilde, é um estudo clássico da personalidade narcisista, ainda que se trate de uma narrativa fictícia. À semelhança de Narciso, também Dorian Gray era um jovem extraordinariamente bonito.

Além disso, a beleza de sua aparência física coincidia com uma igual beleza de temperamento. Era amável, obsequioso e solícito. Inevitavelmente, a boa aparência de Dorian atraiu o interesse de um famoso artista, que resolveu pintar-lhe o retrato. Também chamou a atenção de um diletante, Lorde Henry, que se empenhou em ensinar-lhe as maneiras do mundo sofisticado.

Com uma série de galanteios, Lorde Henry induziu Dorian Gray a pensar que era especial por causa de sua beleza física excepcional. Assim, convenceu o jovem de que era seu dever preservar sua bela aparência. Para tanto, Dorian não podia permitir que qualquer sentimento forte perturbasse a placidez de sua mente ou marcasse a superfície de seu corpo. Mas como evitar a devastação do tempo? Dorian ficou preocupado com isso e com sua aparência. Que lástima, pensou ele, que o quadro o mostrasse sempre um jovem feliz, de radiante beleza, enquanto ele próprio envelhecia e se deteriorava! Que fosse o inverso, implorou – e assim aconteceu.

Dorian Gray passou os anos sem mostrar o mínimo sinal de idade ou preocupação no rosto e no corpo. Aos 50 anos, tinha a mesma aparência que aos 20. Nenhum traço ou ruga que refletisse as atribulações e preocupações da vida maculava-lhe. O seu segredo era o retrato, que envelhecia e mostrava a fealdade de uma existência vivida sem sentimentos. Mas Dorian escondeu o quadro e nunca olhou para ele.

Na ausência de sentimento, Dorian Gray passou a vida à procura de sensações. Seduziu mulheres (o que lhe era muito fácil conseguir com seu encanto e boa aparência) e depois as abandonou. Induziu os rapazes que o admiravam a vícios e drogas que os arruinaram. Logo no começo da carreira, provocou o suicídio de uma jovem e encantadora atriz, que se apaixonou por ele mas a quem Dorian rejeitou quando o desempenho dramático dela não correspondeu às atuações de estrela que inicialmente o haviam atraído. Em tudo isso, Dorian não sentiu nem sombra de remorso. Nunca olhou para o retrato; nunca se defrontou com a realidade de sua vida.

Além de Dorian Gray, ninguém conhecia a existência do retrato, exceto o pintor e Lorde Henry. Quando o pintor pediu para ver o retrato, Dorian matou-o. Para ocultar seu crime, chantageou um antigo admirador, forçando-o a eliminar o cadáver. Essa pessoa cometeria suicídio depois. Finalmente, porém, Dorian não mais pôde reprimir sua curiosidade a respeito do retrato nem aquietar seu crescente tormento interior. Assim, adentrou o cômodo onde o quadro estava escondido e retirou o pano que o recobria. A expressão

Narcisismo

torturada e contorcida do rosto envelhecido encheu-o de tal horror que Dorian apanhou uma faca e retalhou o quadro. Na manhã seguinte, um criado descobriu-o estendido diante do quadro, com uma faca cravada no coração – um velho de rosto torturado, contorcido.

Como pôde um jovem tão belo tornar-se um personagem tão feio? Inicialmente, a beleza de Dorian Gray ia mais fundo que a pele, não era apenas fachada. No começo, ele era tão bom por dentro quanto belo por fora. Mas Oscar Wilde acreditava que a natureza humana é corrompível, e eu concordo com ele. O inocente pode ser seduzido pela promessa de poder, de amor, de riqueza, de posição. Essa sedução age o tempo todo em nossa cultura, favorecendo o desenvolvimento de personalidades narcisistas.

Embora a história de Dorian Gray seja ficção, procede a ideia de que uma pessoa pode apresentar uma aparência física que contradiz o estado interior de seu ser. Impressiona-me quantos indivíduos narcisistas parecem muito mais jovens do que são. De feições e compleição suave, não demonstram nenhum indício de preocupação ou conflito. Essas pessoas não permitem que a vida as toque – especificamente, não deixam que os acontecimentos íntimos da existência atinjam a superfície de sua mente ou de seu corpo. Isso constitui uma negação do sentimento. Mas os seres humanos não estão imunes à vida e, nesses casos, o envelhecimento ocorre internamente. Enfim, como no caso de Dorian Gray, a dor e a fealdade rompem a negação, e a pessoa parece envelhecer da noite para o dia.

Em certa medida, entretanto, todos somos como Dorian Gray. Com frequência, ficamos surpresos, até chocados, quando examinamos nosso rosto num espelho. Somos aturdidos pelas marcas da idade que vemos, pela tristeza em nossos olhos, pela dor em nossa expressão. Não esperávamos ver-nos assim. Nos olhos da mente, vemo-nos como jovens, a pele lisa e uma expressão despreocupada. Tal como Dorian Gray, não queremos enfrentar a realidade da vida. Essa discrepância entre nossa aparência e o modo como nos vemos também se estende ao corpo, o qual nos deveria ser mais visível do que o rosto. Fechamos os olhos para a falta de harmonia em nossos membros e para a falta de graça em nossos movimentos. As roupas ajudam-nos a ocultar essa realidade de nós próprios e dos outros e permitem-nos formar uma imagem corporal que está muito longe da realidade.

Somos ensinados desde muito cedo a encobrir os sentimentos e a usar uma máscara para o mundo. A lição que me foi dada quando criança foi esta:

"Sorria, e o mundo sorrirá para você; chore, e chorará sozinho". Vimos como Ann foi ensinada a apresentar uma fisionomia "feliz". Ellen contou-me uma história semelhante: "Lembro-me de me sentar recatadamente enquanto me tiravam o retrato. Ainda tenho essa foto. A imagem é: 'Vejam que menina encantadora eu sou'. Meu pai costumava dizer: 'Tudo que uma moça precisa fazer é sorrir, e terá tudo que quiser'. Assim, continuei a vida sorrindo enquanto meu coração se despedaçava por dentro".

Em muitos casos, tanto o corpo quanto o rosto são mobilizados para projetar uma imagem. O desejo de parecer jovem exige que o corpo seja disciplinado com rigor por meio de exercícios e dieta, a fim de manter um aspecto esguio e esbelto. Ou, se a imagem é de força e virilidade, o homem pode tentar avolumar seu tórax e aperfeiçoar seus músculos para conseguir a aparência adequada.

O CASO DE MARY

Fui procurado por uma mulher, Mary, que tivera um colapso após uma ameaça de rompimento com o namorado. Ela era muito atraente – rosto bem formado, queixo firme, boca bem desenhada, lábios cheios, olhos espaçados; seu corpo era mais para o tipo *mignon*, esbelto, de pernas bem torneadas. Seu sorriso era cordial e convidativo. Pelo menos, foi essa minha impressão quando ela me olhava. Quando olhou para o outro lado e ficava calada, entretanto, uma expressão patética se estampou em seu rosto. A mesma característica patética era evidente em seu corpo. Seu peito parecia contraído; a cintura, tão apertada que quase lhe dividia o tronco em dois. Por qualquer razão, ela não tinha barriga e a pelve era surpreendentemente pequena, levando-se em conta que tivera dois filhos (de um casamento anterior). Seu corpo parecia tão minúsculo, tão imponderável, que pensei: "Ela é insignificante. Um zero à esquerda".

A ideia de que Mary pudesse ser considerada insignificante era desmentida pelo seu aparente domínio dos movimentos, suas ideias e suas palavras. Tinha uma vontade forte e sabia como se impor. Desde os 5 anos de idade, fora treinada para ser bailarina clássica e, embora nunca tivesse dançado profissionalmente, considerava-se uma bailarina. Sabendo isso, constatei que, quando usava todo o seu charme ao olhar para mim, apenas representava. Convertia-se numa boneca dançante e animada; na verdade, seu corpo e seu rosto tinham características de boneca.

Essa era a imagem com a qual ela se identificava e tentava projetar. Quando abandonava sua representação e desviava o olhar, tornava-se uma criatura patética, perdida, nula. O papel da imagem era compensar uma percepção diminuída do *self*, mas seu efeito era inverso. Ao dirigir todas as suas energias para manter uma imagem, Mary empobrecia e diminuía seu *self* real.

Embora ela reconhecesse a fragilidade da sua percepção do *self* (ficava facilmente deprimida, era derrotada por qualquer sentimento forte), não estava preparada para renunciar à sua imagem. Sentia o poder nela contido – um poder sobre os homens. Já tendo passado dos 35 anos, Mary se comportava mais como menina do que como mulher. O que atraía os homens, e os fazia até apaixonarem-se por ela, era uma bonequinha graciosa e abertamente sedutora. Quando numa relação, Mary tornava-se completamente dependente do homem. Oscilava entre a menininha lastimável, que necessitava de desvelos e proteção, e a boneca-dançarina, sedutora, a quem os homens queriam possuir.

Se indagarmos qual era a realidade da personalidade de Mary, devemos responder que a imagem da boneca-dançarina é tão real quanto a da menininha patética. Com efeito, Mary tem dupla personalidade, uma vez que apresenta duas faces diferentes ao mundo. Uma delas é uma máscara, como a face de uma boneca desprovida de sentimentos. A outra expressa seus verdadeiros sentimentos, constituindo, portanto, uma genuína representação do *self*. A face da boneca reflete uma imagem do ego; a da menininha patética reflete a autoimagem, a imagem do *self*. Uma face é assumida por um esforço da vontade, enquanto a outra é uma manifestação espontânea do eu interior. Essa divisão da personalidade de Mary justificaria o diagnóstico de personalidade de fronteira.

Embora, do ponto de vista de diagnóstico, Mary fosse vista como personalidade de fronteira, em minha opinião o diagnóstico é menos importante do que compreender Mary – quem ela é, quem ela finge ser e por que desenvolveu uma divisão em sua personalidade. A imagem é realmente uma parte do *self* – aquela que enfrenta o mundo e assume sua forma por meio dos aspectos superficiais do corpo (postura, movimento, expressão facial etc.). Como essa parte do corpo está submetida a controle consciente pela vontade ou ego, pode ser modificada para ajustar-se a uma imagem particular. Podemos falar de um falso *self* organizado contra o verdadeiro *self*, mas prefiro descrever a divisão como uma imagem que contradiz o *self* e considerar o distúrbio básico um conflito entre a imagem e o *self* corporal.

Por que Mary renunciou a seu *self* corporal em favor de uma imagem? Embora o sacrifício não fosse consciente, ela decidira que seu *self* sentimental e emocional era inaceitável. Verifiquei que ela era incapaz de chorar e gritar. Não tinha voz para expressar sentimentos. Sua fala soava monótona, sem relevos, sem emoção, mecânica. Era evidente por que Mary se tomara bailarina. Incapaz de usar a voz para expressar-se, ela voltara-se para o movimento. Mas também esse caminho estava circunscrito. Mary começou a estudar balé aos 5 anos com o apoio e o incentivo de sua mãe, que queria que a filha se notabilizasse e granjeasse para ela algum crédito. Assim, Mary era completamente dominada pela mãe – e aterrorizada por ela. No entanto, insistiu em dizer-me que não alimentava sentimento de revolta contra a mãe, que muito fizera por ela. O grau de negação nessa declaração é típico dos narcisistas. Tendo aceito a imagem da boneca-dançarina, que ela considerava especial e superior, e identificando-se com ela, não podia admitir sentimentos "maus" ou coléricos que contradissessem essa imagem.

O pai adorava a sua boneca-dançarina, mas essa adoração conjugava-se com um interesse sexual por ela. Desde cedo, Mary tinha consciência de sua capacidade de excitar o pai, mas qualquer sentimento sexual de sua parte tinha de ser negado a fim de evitar o ciúme da mãe e a reação negativa do pai (decorrente de culpa). Ela mencionou que, quando adolescente, seu pai ficava muito perturbado se a visse beijar um rapaz. Sem nenhum apoio paterno aos seus sentimentos, Mary entregou-se por completo à mãe e identificou-se com ela no desprezo por seu fraco pai. Consumada a rendição, compensou a perda criando uma imagem que lhe deu poder sexual sobre os homens sem a vulnerabilidade engendrada por sentimentos sexuais. As imagens podem unicamente ser desinfladas; não magoam.

Numa personalidade de fronteira, como a de Mary, a discrepância entre a imagem e o *self* corporal ou sensível é suficientemente ampla para gerar o perigo de colapso emocional. Mary fora hospitalizada antes de me consultar. Felizmente, pude ajudá-la a entrar em contato com parte de sua tristeza e a liberá-la por meio do choro. Isso permitiu-lhe superar a negação, ver a realidade de seu ser e estabelecer uma ligação com o seu *self* corporal, o que lhe conferiu uma força que não tinha até então.

Em minha abordagem terapêutica, denominada análise bioenergética, a ligação do indivíduo com seu *self* corporal é realizada por meio do trabalho direto com o corpo. Exercícios especiais são usados para ajudar a pessoa a

Narcisismo

sentir aquelas áreas do corpo em que tensões musculares crônicas bloqueiam a percepção e a expressão de sentimentos. Assim, no caso de Mary, um dos exercícios usados consistiu em fazê-la deitar-se numa cama e agitar energicamente as pernas ao mesmo tempo em que gritava "não". Ela nunca fora capaz de protestar pela renúncia do seu *self* corporal, nem poderia reclamar esse *self* até que tivesse voz para protestar. Embora fosse bailarina, seus movimentos de pernas não eram coordenados e careciam de vigor, enquanto sua voz era tênue e fraca. Ela sentia um sufoco na garganta, o que a impedia de articular sons cheios e fortes. Isso restringia, também, sua respiração, o que diminuía seu metabolismo e reduzia sua energia. Pude palpar a constrição como uma espasticidade dos músculos escalenos de cada lado do pescoço [inseridos nas vértebras cervicais]. A técnica que emprego para reduzir essa espasticidade consiste em aplicar uma leve pressão com as pontas dos meus dedos nesses músculos, enquanto a pessoa emite um som o mais estridente possível. Quando fiz isso com Mary, ela soltou um grito que continuou por algum tempo. Depois de vários gritos, irromperam soluços profundos assim que a tensão nos músculos do pescoço relaxou e o sentimento de tristeza pôde vir à tona. Após essa descarga, seus protestos, esperneando e gritando, foram mais fortes e mais convincentes.

As pessoas em dificuldade precisam chorar. Embora fosse relativamente fácil induzir Mary a chorar porque seu corpo não estava tão blindado, enfrentamos considerável dificuldade com homens narcisistas que se vangloriam de estar aptos a absorver quaisquer dissabores sem sucumbir. O superdesenvolvimento muscular resulta num corpo duro e compacto que inibe a percepção consciente e a expressão de sentimentos doces ou ternos. Em tais casos, quase sempre é necessário um trabalho considerável com a respiração a fim de amolecer o corpo até que o choro possa emergir. Assim que a pessoa se entrega ao choro, não fica muito difícil evocar a cólera que tinha sido suprimida. Por vezes, libertar a cólera – fazendo uma pessoa bater na cama com uma raquete de tênis ou com os punhos – pode abrir a tristeza e produzir o choro. Em meus livros anteriores, descrevi alguns exercícios e técnicas corporais. Cumpre enfatizar que eles não são mecânicos. Só alteram a personalidade quando combinados com uma análise completa, incluindo a interpretação de sonhos, e quando decorrem de uma compreensão da personalidade, tal como expressa pelo corpo. Em outros pacientes, como os de caráter narcisista, o ego é capaz de manter o controle e evitar um colapso porque não está totalmente separado do *self*. Entretanto, recursos como o álcool podem ser usados para manter certa negação da realidade, como se pode ver no caso de Arthur.

O CASO DE ARTHUR

Arthur tinha sido um ator muito conhecido e de grande êxito. Nos dois últimos anos, porém, ficara sujeito a crescentes crises de desespero que o impediam de trabalhar. Reconheceu que tinha começado a beber muito. Em consequência, seu prestígio profissional declinara e ele estava com dificuldades de conseguir trabalho. Também se queixou de sua incapacidade de estabelecer um relacionamento satisfatório com uma mulher. Mencionou que tivera certa vez uma experiência efêmera de amor profundo que o fizera sentir-se bem e realizado. Queria desesperadamente voltar a sentir aquilo.

Não deve causar surpresa a ninguém encontrar um narcisista na profissão de ator. Representar depende da capacidade de projetar uma imagem. Isso acontece facilmente ao indivíduo narcisista, que está representando o tempo todo – embora, é claro, nem todos os atores sejam narcisistas.

Quando Arthur se postou à minha frente, sua atitude corporal era de altivez e superioridade. Era um homem de boa compleição física, com um rosto bastante bonito e dramático. Quando se empertigou e pôs para fora todo o seu charme, ganhou uma aparência imponente. Seus olhos, quando me olharam, tinham uma expressão intensa – como se estivesse tentando magnetizar-me. Eu podia sentir o poder de seu olhar. Entretanto, porque esse olhar exigia um esforço, absorvendo toda a sua energia, não foi capaz de mantê-lo por muito tempo. Quando o esforço desmoronou, seu rosto ficou tenso e cansado. Parte do charme de Arthur era um sorriso aparentemente inocente, que ele me dirigia de tempos em tempos. Porém, percebi que esse sorriso encobria um medo intenso. Deveras impressionantes, no entanto, eram as diferentes expressões nas duas metades de seu rosto. A sobrancelha direita era fortemente arqueada para cima, numa expressão arrogante; a esquerda, achatada e caída. Por isso, seu rosto tinha um ar contorcido. Quando lhe fiz essa observação, Arthur disse que tinha consciência disso. Também sabia que seu rosto tinha uma expressão penosa. Estudara-o num espelho – mas, de modo tipicamente narcisista, não se permitia sentir qualquer dor ou medo.

A divisão na personalidade de Arthur era inequívoca. Pelo seu rosto, eu tinha a impressão de que sua face direita lutava desesperadamente para superar-se e negar o desespero evidente do lado esquerdo. Uma parte dele

Narcisismo

identificava-se com uma imagem de superioridade, que ele tentava projetar para encobrir e compensar um sentimento íntimo de inferioridade. Arthur precisava de uma imagem de poder para superar um sentimento interior de desamparo e impotência.

Tal como Dorian Gray, o paciente tivera seus dias de poder e glória. Quando era mais jovem e um ídolo das matinês, muitas mulheres foram atraídas para ele. À época ele tinha energia suficiente para sustentar a imagem em detrimento de quaisquer dúvidas íntimas. Mas as recompensas que o sucesso propicia não alimentam o *self*. A admiração e os aplausos da multidão apenas alimentam o ego. Investir libido ou energia no ego só pode redundar em falência do *self*. Quando se exauriram as energias de Arthur para sustentar sua imagem, esta começou a apresentar fendas. Entretanto, ele não podia desistir. Estava em sérios apuros.

Em nossa consulta, descrevi a natureza do problema a Arthur e sublinhei a necessidade de se iniciar uma terapia. Sem tratamento, seu estado só poderia deteriorar. Lamentavelmente, nunca mais voltei a vê-lo e ele nunca me pagou a consulta. "Deixei o talão de cheques no hotel", disse Arthur, prometendo enviar-me um cheque. Aferrou-se, portanto, à sua negação. Tinha-me consultado na esperança de que, de algum modo, eu pudesse ajudá-lo a reaver a energia capaz de reanimar sua imagem. Ele estava procurando uma mágica, pensando que eu poderia fazê-la, como acreditava ele próprio tê-la feito outrora. A realidade era dolorosa demais para que ele a aceitasse. No mundo do faz de conta em que vivera, não existia nenhuma obrigação moral de pagar um médico pelo tempo que lhe tomara. A vida é um palco e, quando a cortina cai após um ato, tudo está terminado e será esquecido. O vazio de tal vida está além da imaginação.

Enfatizei a incongruência ou oposição do *self* e da imagem no narcisista. Embora eu prefira esse modo de descrever a divisão, talvez seja importante acrescentar agora a noção de um *self* verdadeiro e de um falso ou superficial. O falso *self* assenta na superfície, como o *self* apresentado ao mundo. Está em contraste com o verdadeiro *self*, que se situa por trás da fachada ou imagem. Esse *self* verdadeiro é o depositário dos sentimentos, mas deve ser escondido ou negado. Como o *self* superficial representa submissão e conformismo, o *self* interior ou verdadeiro é rebelde e colérico. Essa rebelião e essa cólera subjacentes nunca podem ser totalmente suprimidas, porquanto são uma expressão da força vital do indivíduo. Mas, em virtude da negação, tampouco podem ser expressas diretamente. Ao contrário, revelam-se por meio da atuação narcisista. E podem converter-se numa força perversa.

A distinção importante é, pois, entre a pessoa que age em função de uma imagem e aquela que age em função de seus sentimentos. Mas, visto que os sentimentos são um atributo natural do ser humano, como pode uma pessoa não sentir? Se a imagem é estabelecida como força dominante na personalidade, o indivíduo suprimirá qualquer sentimento que o contradiga. Só que uma imagem só pode adquirir essa posição dominante na ausência de sentimentos fortes.

Creio firmemente que a ausência de sentimento constitui o distúrbio básico na personalidade narcisista, e aquele que permite à imagem ganhar ascendência. No narcisismo, em contraste com as neuroses típicas de épocas anteriores, a perda de sentimento deve-se a um mecanismo especial que chamo de negação de sentimento.

3. A negação do sentimento

O que significa não sentir? Comecemos com um exemplo extremo – um homem catatônico que permanece imóvel num canto horas a fio, como uma estátua. Ele suprimiu todo o sentimento, toda a sensação, incluindo a dor, e por isso pode ficar imóvel por longos períodos. É como se todo o seu corpo estivesse em *rigor mortis*, sem impulso nem movimento interno. Tendo atingido tal amortecimento, está anestesiado para a dor. É claro que esse amortecimento não é completo; envolve apenas a musculatura voluntária. Os outros órgãos funcionam normalmente.

Todos os neuróticos, incluindo narcisistas, usam esse mecanismo de amortecimento de partes do corpo a fim de suprimir sentimentos. Pode-se apertar com firmeza o queixo para bloquear o impulso de chorar. Se esse recurso for mantido indefinidamente, o queixo se enrijece nessa posição e o choro fica impossível. Pode-se suprimir um acesso de cólera "endurecendo" ou amortecendo os músculos da parte superior das costas e dos ombros mediante uma tensão crônica. Contudo, embora esse mecanismo seja usado por narcisistas, existe outra defesa mais importante que é típica desse distúrbio: a negação de sentimento.

O conceito de negação de sentimento requer explicações. Em primeiro lugar, cumpre reconhecer que um sentimento ou sensação constitui a percepção de movimento ou acontecimento corporal interno. Se este não acontecer, não haverá sensação nem sentimento, pois nada há para perceber. Se a pessoa deixar um braço pender *imóvel* durante cinco minutos, ele ficará adormecido e ela não sentirá o membro. Para recuperar a sensação, a pessoa terá de movimentar o braço. Assim, pela inibição do movimento, o indivíduo pode entrar em um estado de amortecimento semelhante ao do catatônico. Mas existe outra maneira de cortar o acesso de impulsos e ações à consciência: bloquear a função da percepção. É por meio desse mecanismo que os sentimentos são negados.

Um exemplo comum de negação de sentimento é o da pessoa que grita e vocifera numa discussão como se estivesse furiosa, mas quando se lhe pergunta o que é que a enfurece, responde: "Mas quem disse que estou furioso?" A explicação que eu daria para isso é que a imagem dessa pessoa é a de um ser racional e lógico; nada que contradiga essa imagem consegue penetrar na consciência. Outro exemplo é um jovem psicólogo meu conhecido. Esse homem tentava insistentemente convencer-me de que era um grande terapeuta. Sempre que nos encontrávamos, replicava com um enfadonho "eu sei", "eu posso fazer isso" etc. Quase todas as frases começavam com a palavra "eu", à moda narcisista. Sempre que me irritava e apontava o seu narcisismo, ele retrucava dizendo que eu me recusava a reconhecer sua superioridade. O jovem recusava-se a enxergar sua necessidade narcisista de me impressionar. Sentir sua necessidade de aprovação desesperada poderia abalar sua imagem.

A necessidade de projetar e manter uma imagem força a pessoa a impedir que chegue à consciência qualquer sentimento que conflite com tal imagem. O comportamento que possa contradizer a imagem é racionalizado em função dela. Assim, nosso indivíduo encolerizado poderá explicar a "necessidade" de gritar dizendo: "As pessoas não estavam ouvindo de fato. Elas não me ouviam. Eu estava apenas tentando apresentar minhas opiniões". Do mesmo modo, o jovem psicólogo racionalizou seu comportamento recriminando-me. Numa pessoa normal, as ações estão associadas aos sentimentos que as motivaram. No indivíduo narcisista, entretanto, a ação está dissociada do sentimento ou impulso, sendo justificada pela imagem.

O EFEITO SOBRE O COMPORTAMENTO EM RELAÇÃO AOS OUTROS

A negação de sentimento, característica de todos os narcisistas, é manifesta sobretudo em seu comportamento em relação aos outros. Eles podem ser cruéis, manipuladores, sádicos ou destrutivos para com outra pessoa porque são insensíveis ao sofrimento ou aos sentimentos de outrem. Essa insensibilidade deriva de uma insensibilidade para com os próprios sentimentos. A empatia – capacidade de sentir os sentimentos ou estados de ânimo de outra pessoa – é uma função de ressonância. Sentimos a tristeza do outro porque isso nos deixa tristes; compartilhamos a alegria de alguém porque isso evoca em nós sentimentos prazerosos. Mas, se somos incapazes de sentir tristeza ou alegria, não podemos reagir a esses sentimentos externos; talvez até duvidemos de que o outro tenha tais sentimentos. Quando negamos nossos sentimentos, negamos que outros sintam.

Narcisismo

Só assim é possível explicar o comportamento tirânico de alguns narcisistas – como os executivos de grandes empresas que manobram implacavelmente os empregados e criam um reino de terror por sua indiferença à sensibilidade humana e a demissões indiscriminadas, sem levar em conta os sentimentos das pessoas. É claro, eles são igualmente duros consigo mesmos; seus objetivos de poder e sucesso exigem um sacrifício igual da parte deles. Esses executivos veem-se como generais em uma guerra em que o sucesso empresarial significa vitória. Com tal imagem de si mesmos, eles só podem tratar seus subordinados como soldados supérfluos diante da investida para o triunfo.

Uma das maneiras como a nossa cultura promove a personalidade narcisista é sua exagerada ênfase de importância de vencer. Há um *slogan* popular que diz "vencer é a única coisa que conta". Esse tipo de atitude banaliza os valores humanos e subordina os sentimentos dos outros a esse objetivo supremo de vencer, de estar no topo, de ser o número um. Mas o compromisso com essa meta exige também o sacrifício ou a negação dos próprios sentimentos, pois nada deverá interpor-se no caminho do sucesso. Contudo, a imagem de sucesso manifesta seu poder para dominar o comportamento apenas quando os sentimentos são negados. Deparamos com aquele velho dilema: o que apareceu primeiro – a galinha ou o ovo? Nesse caso, a mesma pergunta pode ser formulada: o que aconteceu primeiro, a imagem ou a negação de sentimentos? A resposta a essas questões é que cada coisa é um aspecto da outra. Sem a negação de sentimento, a imagem não ganharia sua posição dominante, mas só quando ela se torna dominante os sentimentos passam a ser continuamente negados.

O comportamento que é pernicioso ou destrutivo para os outros só pode ser plenamente entendido em função da negação de sentimento, do objetivo de vencer e da imagem de poder. Os executivos que exploram os empregados e os vigaristas que ludibriam pensionistas idosos agem segundo o mesmo princípio. Uns e outros não veem suas vítimas como pessoas reais; a seus olhos, elas existem apenas como objetos a ser usados. Especificamente, os pensionistas idosos não são vistos como seres humanos porque os vigaristas não se veem a si próprios dessa forma. Vivem de suas falcatruas e identificam-se com sua habilidade de passar a perna nos outros. O fato de mentirem ou enganarem não tem importância diante do objetivo de vencer ou para a sua imagem de superioridade do ego – que se baseia em sua capacidade de enganar os outros.

A ligação entre a importância suprema de vencer, a negação de sentimento e o papel da imagem é mais evidente na guerra. Dado que vitória ou derrota são vistas como uma questão de vida ou de morte, não há lugar para sentimentos. Os soldados agem predominantemente em função de imagens. No entanto, eles retêm sua humanidade diante de um camarada de armas ou dos membros do seu pelotão com os quais têm contato pessoal. Sem esses sentimentos, correriam o risco de enlouquecer ou de se tornar máquinas mortíferas. Um soldado não é narcisista, mas a guerra força-o a agir como tal.

Infelizmente, a guerra não se limita a exércitos combatendo entre si. Na maioria das grandes cidades há guerra de quadrilhas em que os membros de um bando agem como soldados que negam o sentimento e os valores humanos. Mas também há guerras industriais, políticas e familiares que promovem uma atitude narcisista e encorajam o comportamento pernicioso e destrutivo para com outrem. O inimigo não é representado como real, pois não é fácil matar pessoas reais. Os soldados são ensinados a ver o inimigo como uma imagem – o "huno", o "nazista", o "japa" etc. – que devem destruir. Mas, para fazê-lo, também eles devem converter-se numa imagem. São soldados cujo papel consiste em obedecer a ordens, lutar sem questionar, agir sem sentir. Não devem ceder ao medo, à dor ou à tristeza. Estar em contato com esses sentimentos abalaria sua imagem de soldado e os impossibilitaria de lutar eficazmente no campo de batalha. E não podem rejeitar essa imagem, pois isso os colocaria em conflito com seus comandantes, o que também ameaçaria sua sobrevivência.

Quando nos identificamos com uma imagem, vemos o outro como uma imagem que, em muitos casos, representa algum aspecto rejeitado do *self*. O narcisismo divide a realidade de um indivíduo em aspectos aceitos e rejeitados, sendo estes últimos projetados, portanto, nos outros. O ataque contra esses outros deriva, em parte, do desejo de destruir esse aspecto rejeitado. Por exemplo, o vigarista que se considera esperto e superior vê sua vítima como simplória e idiota. Analogamente, o soldado cuja imagem é de luta pelo direito, pela justiça e pela honra verá, com frequência, o inimigo como cruel e desprezível. Se a imagem narcisista é de dureza e vigor, o indivíduo projetará nos outros uma imagem de vulnerabilidade e fragilidade que deve ser destruída.

Esse princípio explicará também atos de violência gratuita em tempos de paz? Um caso ilustrativo foi a ação de um bando de rapazes que atearam fogo num velho mendigo que dormia num banco de praça. Foi um ato de tamanha

Narcisismo

desumanidade que a maioria das pessoas ficou chocada e perplexa. Onde estavam os sentimentos desses rapazes? Obviamente, não tinham nenhum para com o pobre velho. Não o viram como uma pessoa real, apenas como uma imagem, uma imagem de velhice decrépita, que acharam repulsiva e por isso destruíram. Mas, ao contrário dos soldados, que não têm contato pessoal com os seres humanos a quem matam, esses rapazes estavam na presença de uma pessoa viva. Ao matá-la de forma tão gratuita, negaram a humanidade da vítima e, ao mesmo tempo, a de si próprios. Muito provavelmente, tinham perdido sua humanidade antes de cometer esse crime. É bem possível que o horror e a insanidade de sua vida os tivessem levado a negar seus sentimentos.

Há uma linha contínua da violência contra pessoas indefesas até o estupro de mulheres, a sedução e a manipulação. O que o estuprador e o sedutor têm em comum, embora em diferentes graus, é uma insensibilidade para com o parceiro sexual, um superenvolvimento com o próprio ego e uma ausência de sentimento sexual no nível do corpo. Ao contrário da excitação genital, o sentimento sexual é vivenciado com amor, ternura e anseio de estar perto de outra pessoa. A negação desse sentimento, em virtude de sua associação com carência e vulnerabilidade, propicia a superexcitação dos genitais, culminando no ato de estupro. A carga genital domina, porque o indivíduo não consegue conter a sensação. Incapaz de abordar uma mulher num estado de descontração, o estuprador é impelido a uma ação violenta, a qual expressa também sua intensa hostilidade para com as mulheres. Temendo-as, o estuprador só fica sexualmente excitado com a imagem de um poder agressivo sobre o sexo oposto. Analogamente, o sedutor depende de uma imagem para a excitação sexual – o retrato de um "amante" irresistível, dominante e controlador. Ambos os tipos exemplificam o comportamento narcisista porque não veem suas vítimas como pessoas reais, mas como imagens. Estupro e sedução constituem cenas pornográficas em que o desejo sexual depende da negação da humanidade da outra pessoa, a qual é vista apenas como um objeto sexual.

Levemente menos psicopático e violento do que um estuprador, mas também desprovido de sentimento era um diretor teatral que exigia de todas as jovens aspirantes a atrizes que se despissem e praticassem atos sexuais com ele, como condição para obterem papéis. A exigência de sexo não era abertamente declarada, mas o diretor fazia alguns avanços e as moças sabiam muito bem que o fato de não corresponderem resultaria em rejeição. O efeito era

53

estupro, na medida em que a integridade delas era violada e sua dignidade humana, negada. As jovens não eram pessoas para esse diretor, apenas nomes e corpos. Mais tarde, ele vangloriou-se do número de atrizes, algumas famosas, que possuíra. Sua atividade sexual, todavia, era fria e desprovida de prazer. Ela gratificava meramente sua imagem.

Prosseguindo em direção a graus menores de narcisismo, encontramos o executivo que seduz a secretária. Isso não quer dizer que todas as relações sexuais entre patrão e funcionária estejam contaminadas de narcisismo. É uma questão de sentimento, de amor entre as partes. Para o executivo-sedutor, o desejo sexual é forte porque ele se sente numa posição socialmente superior ou dominante. Essa posição alivia o seu medo de mulheres e permite-lhe sentir-se fortemente excitado no nível genital. Porém, sem um sentimento de amor ou afeição por sua parceira e de respeito pelos sentimentos dela como ser humano, o ato sexual é uma expressão narcisista. Equivale à exploração.

É óbvio que se pode ficar genitalmente excitado sem qualquer sentimento sexual genuíno. A excitação é estritamente limitada aos genitais. Um homem, por exemplo, pode ter uma ereção sem qualquer desejo de intimidade com uma mulher – isto é, sem qualquer sentimento de amor. O desejo está na cabeça dele, assim como a excitação está na cabeça de seu pênis. O sexo, para tal homem, tem duas finalidades: descarregar a excitação peniana (que pode tornar-se dolorosa) e sustentar um ego fraco e inflado com a conquista e a humilhação de uma mulher. Sem dúvida, é gostoso descarregar a excitação sexual, mas o prazer da descarga é apenas local, limitado aos genitais. É mais correto chamar um sentimento localizado de sensação. O sentimento sexual, em contraste com a excitação genital, é uma sensação corporal plena de excitação, calor e fusão em face da perspectiva ou experiência de contato e intimidade com outra pessoa. Quando o corpo todo responde sexualmente, o clímax é imbuído de um sentimento de júbilo ou êxtase.

A LIGAÇÃO COM A MENTIRA

No mundo das imagens, deparamos inevitavelmente com a questão do ajustamento. Por si mesma, a imagem não tem legitimidade. A imagem de superioridade de um narcisista tem tanto significado quanto a imagem de integridade e honestidade de uma pessoa conscienciosa. A imagem, por definição, é uma representação de algo. Assim, não podemos julgar uma imagem a não ser em função de sua relação com a realidade que ela se propõe representar. Quando a realidade é objetivável, essa determinação é fácil. As circunstâncias de nascimento, família e história de vida, por exemplo, são fatos defníveis. Representá-los de forma deturpada ou falsa é mentir. Para o impostor, entretanto, a mentira surge facilmente porque a realidade já foi emocionalmente negada há muito tempo. O impostor não quer reconhecer um nascimento e *background* comuns, pois isso não contradiria um sentimento de inferioridade ou vulnerabilidade. Não, o impostor deve ser alguém diferente, alguém especial e superior. Não é difícil, portanto, ampliar essa imagem para incluir a ideia de nobreza.

A tendência para mentir sem escrúpulo de espécie nenhuma é típica dos narcisistas. Num extremo está a personalidade psicopática, que parece não discernir entre certo e errado em nível de sentimento. É uma pessoa sem consciência ou, em termos psicanalíticos, alguém que carece de superego. Não existe culpa. Embora a maioria dos narcisistas esteja longe desse extremo, tanto em sua negação subjetiva de sentimentos quanto em seu uso de uma imagem que contradiz a verdade do seu ser, eles compartilham certas semelhanças com a personalidade psicopática. Neste aspecto, perderam a capacidade de distinguir a verdade da falsidade.

Voltemos ao exemplo do impostor. Ele declara-se nobre, embora saiba, intelectualmente, que não teve berço. Ocorre que ele se vê como alguém de origem nobre quando representa o papel. E sua atuação é convincente porque ele próprio se convenceu. Identifica-se com essa imagem, e tornou-se sua única realidade; deixa de sentir que distorceu ou negou a verdade. Ele nega ou ignora a realidade do seu ser, mas a negação já deixou de ser deliberada ou consciente. O ator identificou-se de tal forma com seu papel ou pose que isso tornou-se real para ele.

O impostor que acredita ser nobre é um psicopata para quem a realidade subjetiva desalojou a realidade objetiva de seu nascimento. O caráter narcisista está mais em contato com a realidade objetiva, mas é dominado pela imagem. Beatrice é um exemplo. Quando se apresentou a um grupo de treinamento bioenergético na Europa, assumiu uma postura empertigada, como se fosse superior, e um ar que quase se poderia qualificar de imperioso. Não fiquei surpreendido, portanto, quando ela disse que sempre se considerara uma princesa. Por momentos, pensei que poderia ter de lidar com uma personalidade psicopática, mas Beatrice acrescentou: "Fui criada num castelo". Seria ela uma princesa de verdade? Beatrice explicou: "Meu pai era um engenheiro que ganhou muito dinheiro antes de eu nascer e comprou esse castelo. Tratou-me como uma princesa". Beatrice era filha única.

O seu problema era falta de sentimento, em especial de sentimento sexual. Seu ventre estava contraído e a pelve mantinha-se rígida, permitindo escassos movimentos espontâneos. Seus sentimentos estavam confinados à metade superior de seu corpo – mas, mesmo aí, eram rigidamente controlados. Beatrice relatou um sonho frequente, no qual se via como uma princesa jazendo num caixão de vidro. Reconheceu que o caixão de vidro era o castelo e que, ao ser levada a julgar-se uma princesa, estava inerte e encarcerada. Tal como a Bela Adormecida, Beatrice aguardava um salvador que a libertasse e a devolvesse à vida. O caixão representava também a rigidez de seu corpo, no qual seus sentimentos estavam aprisionados. Ela precisava chorar para liberar a tristeza contida em seu ventre estanque. Induzindo-a a respirar profundamente, de modo que os movimentos respiratórios envolvessem a pelve, sua tristeza e sua sexualidade puderam então ser vivenciadas e expressas.

SUPRESSÃO *VERSUS* NEGAÇÃO DE SENTIMENTOS

No começo deste capítulo, aludi à diferença entre supressão e negação de sentimentos. Pode-se suprimi-los amortecendo o corpo e reduzindo sua motilidade. Se não há movimento interno, repito, nada há para sentir. A emoção é um movimento (do latim [ex = para fora] + *movere* = mover, movimentar) para o exterior. Toda emoção é movimento do centro para a periferia, onde se expressa em ação. O amor, por exemplo, é vivenciado como um impulso para alcançar alguém; a cólera, como um impulso de agredir; a tristeza, de chorar. O impulso da emoção deve alcançar a superfície do corpo para ser vivenciado como um sentimento. Não precisa, entretanto, produzir qualquer ação manifesta. Se o impulso gera um estado de prontidão para agir na musculatura, será vivenciado como emoção. A pessoa não precisa partir para a agressão para sentir-se furiosa, mas o corpo tem de estar preparado para a eventualidade de tal ação. Na maioria dos indivíduos, um forte sentimento de cólera resultará em punhos espontaneamente cerrados. Em outras, a cólera pode vir à tona como uma expressão do olhar. Não creio que seja possível a alguém sentir emoção e não permitir que alguma expressão dela se manifeste, por mais sutil que seja.

A inibição de movimento por meio da tensão muscular crônica acaba por suprimir os sentimentos. Essa tensão produz uma rigidez no corpo, um embo-

Narcisismo

tamento parcial. Não surpreende que os soldados sejam treinados para manter-se em rígida posição de sentido. Como vimos, um bom soldado deve suprimir muitos sentimentos e converter-se, com efeito, numa máquina mortífera.

Como a rigidez está associada à supressão de sentimentos, a análise do padrão de tensão indica quais deles estão sendo suprimidos. Músculos tensos dos maxilares, por exemplo, inibirão o impulso de morder. Podemos deduzir que tais pessoas suprimiram esses impulsos quando crianças. Esses impulsos podem, contudo, manifestar-se como sarcasmo e comentários mordazes. Um queixo tenso bloqueará, também, os impulsos de sucção, suprimindo o desejo de proximidade e contato. Uma garganta contraída impede o soluçar profundo e leva à supressão da tristeza. Os ombros hirtos diminuem a intensidade de uma reação colérica.

A rigidez geral do corpo amortece-o ao restringir a respiração e limitar sua motilidade. Em geral, a respiração não é uma atividade consciente; os movimentos de expansão e contração ocorrem sem ação voluntária. Os bebês e as crianças pequenas respiram desse modo muito natural. Mas, quando aprendemos a controlar e a suprimir nossos sentimentos, tensionamos o corpo e inibimos essa respiração natural. Assim, reduzimos a inspiração de oxigênio, diminuindo a atividade metabólica e decrescendo a energia disponível para o movimento e o sentimento espontâneos. Podemos ainda assim, é claro, produzir movimentos mediante o uso da vontade, mas eles são mecânicos. Descobrimos essa rigidez global em alguns narcisistas cujo estilo consiste em posar de maneira estatuesca. Mas muitos indivíduos narcisistas têm o corpo razoavelmente ágil e flexível. Podem ser atores, atletas ou celebridades. O corpo tem uma vivacidade e uma elegância aparentes, sugerindo a presença de emoções. Seu comportamento, porém, é desprovido de sentimento, o que significa que devemos procurar outro mecanismo por meio do qual o sentimento é anulado. Esse mecanismo, como já indiquei, é o bloqueio da função perceptiva em detrimento do movimento.

Como a percepção é uma função da consciência, está quase sempre sob o controle do ego. Normalmente, percebemos aquelas coisas que nos interessam e ignoramos as que não têm qualquer importância para nós. Também podemos focalizar deliberadamente nossa atenção em certos objetos ou situações a fim de percebê-los melhor. Mas, pelo mesmo processo, podemos recusar-nos a vê-los e também ignorá-los. Com frequência, a decisão é tomada subliminarmente, à margem da consciência. Por exemplo, é raro nos permitir ver a dor e

57

a tristeza no rosto e nos olhos das pessoas que amamos. Poucos pais veem a infelicidade no rosto dos filhos. E as crianças aprendem muito rápido a não ver a zanga e a hostilidade nos olhos de seus pais. De modo semelhante, como sublinhei antes, não nos permitimos ver a expressão em nosso rosto quando nos olhamos no espelho. Poderemos ver algumas rugas, mas fechamos a mente para o desespero evidente; um homem poderá aparar o bigode com esmero sem ver os lábios apertados e cruéis por baixo dele. Com efeito, não vemos o que não queremos ver. Muitas pessoas que caminham pelas ruas de uma grande cidade como Nova York não veem a sujeira ou não ouvem o ruído. Sua mente (atenção) está voltada para outro lugar.

Penso que um princípio subjacente à percepção seletiva é que não queremos ver um problema que não conseguiremos resolver. Ver o problema poderia colocar-nos num estado intolerável de estresse ou dor, o que poderia ameaçar nossa sanidade mental. De fato, bloqueamos ou negamos alguns aspectos da realidade numa atitude de autodefesa. Mas essa negação subentende um reconhecimento prévio da situação. Não podemos negar aquilo que não conhecemos. A negação é um processo secundário. Em primeiro lugar, vemos a situação penosa; depois, quando percebemos que não conseguimos tolerá-la nem mudá-la, negamos sua existência. Fechamos os olhos para ela.

No começo, portanto, a negação é consciente. A pessoa não toma uma decisão para negar a realidade de uma situação, mas está consciente de sua natureza dolorosa e do desejo de evitá-la. Com o tempo, entretanto, a negação torna-se inconsciente; ou seja, a pessoa tanto deixa de sentir o que há de doloroso na situação quanto não vê a sua fealdade. Ao contrário, cria a imagem de uma situação agradável ou feliz, o que a habilita a ir em frente como se tudo estivesse certo no melhor dos mundos. Nesse ponto, a negação torna-se estruturada no corpo como tensões musculares crônicas localizadas, não em rigidez global. Essa tensão localiza-se na base do crânio, nos músculos que ligam a cabeça ao pescoço. Essa área situa-se próxima dos centros visuais do cérebro e tem certa influência sobre a percepção visual. Inúmeras vezes ajudei meus pacientes a visualizar um olhar colérico ou desvairado nos olhos de seus pais aplicando alguma pressão manual nesses músculos. A tensão presente neles parece bloquear o fluxo de excitação do corpo para a cabeça, a qual fica assim desligada do sentimento corporal. O efeito psicológico – a dissociação entre o ego e os sentimentos do corpo – é semelhante, em alguns aspectos, à dissociação da realidade que ocorre na esquizofrenia, embora num grau muito menor.

Narcisismo

O bloqueio da percepção produz uma negação dos sentimentos, sendo essa sua finalidade. A evocação dos sentimentos eliminaria o bloqueio, tal como a remoção do bloqueio conduziria aos sentimentos. Isso fica claro no caso de Sally.

O CASO DE SALLY

Sally, mulher jovem, participante de um grupo de treinamento bioenergético, descreveu o pesadelo em que tinha vivido nos últimos dez anos. Fora casada com um homem que a espancava, saía com outras mulheres e ameaçava lhe tirar os filhos se ela se divorciasse. Sally andava aterrorizada, já que o marido era um homem poderoso, tanto fisicamente quanto em outros aspectos. Mas acabou divorciando-se dele e conservou os filhos. O mais surpreendente era que, ao contar essa história, Sally manifestava pouquíssima emoção. Também me impressionou a superficialidade de sua respiração. Embora não houvesse rigidez do corpo todo, a garganta estava contraída. Para compreender a origem dessa constrição, perguntei-lhe sobre sua infância.

Sally respondeu de imediato que tivera uma infância feliz. Até esse momento, eu nunca trabalhara com alguém que tivesse tido uma infância feliz. Já ouvira antes, por certo, declarações parecidas de muitos pacientes, mas que acabavam sempre revelando ser uma negação da realidade. Se a infância de Sally tinha sido feliz, eu não deveria esperar que ela contraísse a garganta, como se estivesse bloqueando as emoções, ou que se casasse com um homem que a maltratava. Como sublinhei em outro livro[23], a maioria dos homens casa com mulheres que se assemelham à própria mãe, enquanto as mulheres procuram parceiros parecidos com o próprio pai. Pedi então a Sally que me falasse a respeito de seu pai.

Para descrevê-lo, Sally usou as mesmas palavras com as quais descrevera o marido. Ele foi um homem bastante poderoso, disse ela. Recordava-se de que era muito chegada a ele quando criança. Mas ele bebia, prejudicando o relacionamento. O pai tornou-se imprevisível. Como os homens que bebem muito podem ser também violentos, perguntei a Sally se o pai alguma vez lhe batera. Apesar da minha suspeita de que devia ser esse o caso, fiquei deveras desconcertado com a resposta dela: "Ele costumava me dar socos; às vezes batia no meu rosto. Eu nunca sabia quando viria um murro". Notei que Sally fora tão aterrorizada pelo pai quanto, mais tarde, pelo marido. Mas, como era criança e não podia fugir de casa, suprimiu e negou o terror. Essa negação do medo cegou-a para a violência potencial no homem com quem casou.

O tema-chave dessa sessão de grupo era a respiração. Eu estava demonstrando a ligação entre a voz e a respiração. Reprimir a expressão do som reduz a respiração pelo fechamento da garganta. Por sua vez, limitar a respiração diminui a produção vocal da pessoa. O exercício particular com que eu estava trabalhando implicava deitar-se num banco bioenergético.[24] A pessoa é instruída, em primeiro lugar, a respirar fácil e profundamente. Após certo número de inspirações e expirações, peço-lhe que emita um som, sustentando-o pelo máximo tempo que lhe for possível. No começo, o som é bem controlado e sem emoção. Mas, à medida que é prolongado, atinge um ponto de ruptura, quando pode facilmente converter-se em choro. Sally desfez-se em violentos soluços misturados com gritos, que continuaram por vários minutos, mesmo depois de sair do banco. Uma reação tão pronunciada não ocorre sempre; Sally estava pronta para descarregar esses sentimentos. Era o nono dia do grupo, e um bom número de sentimentos já tinha sido expresso por outros participantes.

Após esse desbloqueio, falei a Sally sobre o horror de sua infância, e ela conseguiu vê-lo pela primeira vez. Já não podia continuar fingindo que a infância tinha sido um período feliz. Agora, reconhecia a violência latente em seu lar e o medo que isso engendrava. Como podia ela ter certeza de quando a violência irromperia (o que acontecia de tempos em tempos)? E como podia seu pai, que proclamava seu amor por ela, maltratá-la? Acreditando no amor paterno, ela não conseguia compreender a divisão na personalidade do pai. Isso era incompreensível, como a loucura em geral o é. Sally teve de negar o horror para conservar a própria sanidade mental. Após essa sessão, ela parecia verdadeiramente viva.

Não quero dar a impressão, porém, de que essa vivência culminou na cura. Foi uma experiência significativa para Sally, que lhe permitiu ver a profundidade de seu problema e uma saída. Essa saída exigiria considerável trabalho, prolongando-se por vários anos, no decorrer dos quais Sally aprofundaria seu *insight*, vivenciaria os sentimentos que tinha negado e aprenderia a expressá-los sem se sentir destruída. A terapia é um processo de ampliação da autoconsciência, de recrudescimento da autoexpressão e de realização do autodomínio, que é a capacidade de conter e sustentar sentimentos fortes. As tensões e a rigidez corporais têm de ser gradualmente reduzidas para que o corpo possa tolerar o nível mais elevado de excitação associada a sentimentos fortes. Creio que a melhor abordagem para esse objetivo é a que combina a análise com o trabalho intensivo do corpo.

GRAUS DE SENTIMENTO

Talvez o leitor esteja se perguntando: pode o ser humano agir sem nenhum sentimento? A negação de um sentimento significará a negação de *todos eles*? Somente uma máquina pode operar sem qualquer sentimento ou consciência. Embora algumas pessoas ajam como máquinas, com fria eficiência e aparentemente sem sentimentos, devemos reconhecer que o sentimento está potencialmente presente. E, de fato, manifesta-se às vezes, mas de forma distorcida. Nos indivíduos narcisistas, as expressões de sentimento costumam adotar duas formas: acessos irracionais de cólera e sentimentalismo piegas. A cólera é uma explosão distorcida da raiva; o sentimentalismo é um substituto do amor. Hitler poderia ser descrito como uma pessoa sem sentimento, mas era conhecido por seus acessos descomedidos de cólera. Eu classificaria de puro sentimentalismo seu amor pelo povo alemão. Agir sem sentimento é ser um monstro; mas os verdadeiros monstros, como os de Frankenstein, só existem em nossa imaginação. Os monstros humanos caracterizam-se pela ira irracional, pelo sentimentalismo e pela insensibilidade para com os outros. Os pais que espancam ou torturam os filhos pequenos são monstros humanos, assim como acabamos de ver no caso de Sally. Para proteger sua sanidade mental, ela precisou negar o horror da situação e fechar os olhos para o aspecto monstruoso do pai. Também teve de sufocar seu sentimento, embora o fizesse em grau menor.

Os pais que batem nos filhos foram provavelmente espancados quando crianças. Tendo negado os próprios sentimentos acerca dessa experiência, não conseguem experienciar nenhum sentimento em relação à criança. De qualquer modo, foge inteiramente à minha compreensão como conseguem justificar o fato de espancarem uma criança. Vejo isso como uma expressão de crueldade. Fico sempre horrorizado quando ouço pacientes relatar como lhes era ordenado que fossem buscar a chibata com que lhes era ministrada a surra. Tampouco posso compreender a crueldade para com animais. São seres sencientes (que têm sensações), capazes de experienciar prazer e dor, tristeza e alegria, medo e ira. Os seres humanos que carecem desses sentimentos estão, de certo modo, num plano inferior ao dos animais.

É claro, no nível do sentimento, diferimos dos animais. A nossa vida emocional é mais intensa. Somos capazes de um grande amor e de um ódio profundo, de um júbilo muito intenso e de uma tristeza mais confrangedora, de um medo mais forte e de uma cólera mais veemente. E os seres humanos também podem "controlar" os sentimentos através do ego. Conseguimos limitar o grau de sentimento e também atuar como se tivéssemos sentimento. Mas há um problema nisso. As emoções são reações corporais totais. Por essa razão, não se pode suprimir ou negar o medo, por exemplo, sem suprimir ao mesmo tempo a cólera. Esse é um importante conceito que os terapeutas têm de compreender. É comum depararmos com pacientes que parecem capazes de expressar cólera, mas não medo ou tristeza. Verifiquei que essa aparente manifestação de cólera é desprovida de sentimento. É uma manobra defensiva que visa assustar o outro, e não uma expressão de emoção genuína. Além disso, agindo colericamente, a pessoa nega o próprio medo. Ela pode acreditar que está irada, tal como os impostores acreditam em suas mentiras ou os atores se identificam com os seus papéis, mas a cólera verdadeira fundamenta-se na mágoa. Se a pessoa nega a mágoa, em que se baseará sua cólera? Se não consegue sentir tristeza, como pode estar zangada? A minha abordagem inicial com todos os pacientes narcisistas consiste em ajudá-los a entrar em contato com sua tristeza. Isso nem sempre é fácil.

O CASO DE LINDA

Linda, uma mulher perto dos 40 anos, consultou-me porque estivera seriamente deprimida alguns anos atrás e receava que isso se repetisse. Quando entrou no meu escritório, fiquei impressionado com sua aparência. Era uma mulher atraente; vestia-se de forma que chamava a atenção mas com gosto, bem-feita de corpo. Sorria com facilidade e parecia ter uma conduta livre. É certo que sua voz era ligeiramente áspera, sem muita variação de tons. De qualquer modo, era difícil acreditar, à primeira vista, que Linda tivesse quaisquer problemas sérios.

Sua principal queixa era a de não haver na vida nenhum objetivo pelo qual valesse a pena lutar. Estava no mesmo emprego havia muitos anos. Embora fosse uma posição criativa e bem remunerada, sentia-se irrealizada. Achava que deveria ir em frente, arranjar um emprego com mais responsabilidade e mais dinheiro. Mas não sabia que outra coisa queria fazer. Também estava insatisfeita com a vida pessoal. Nunca se casara e sentia-se desesperada com a perspectiva de nunca ter uma família. Entretanto, não estava certa de que fosse esse o seu objetivo mais importante. Estava confusa acerca de seu rumo na vida, hesitando entre o desejo de ter uma carreira ou um lar. Algumas mulheres, comentou ela, conseguem realizar ambas as coisas; ela, porém, não tinha logrado nem uma coisa nem outra. Superficialmente, Linda parecia ter potencial para ambas as coisas: cérebro e beleza. O que havia de errado?

A atual reação depressiva de Linda começara logo após o rompimento de uma relação com um homem. Não o amava; ela própria terminara o relacionamento porque não levava a parte alguma. Não obstante, vivenciou o rompimento como um fracasso e ficou deprimida.

A primeira pista que tive do problema de Linda foi sua voz. Eu notara a falta de ressonância. Não pude sentir qualquer excitação na voz dela; soava inerte. Quando comentei isso com Linda, em nossa primeira sessão, ela respondeu: "Sempre me envergonhei da minha voz. Ela não soa direito". Ora, como já indiquei, a voz é um dos principais canais de autoexpressão. A falta de ressonância em sua voz sugeria uma carência de sentimento em seu corpo.

Como Linda afirmara ser infeliz e frustrada, sugeri-lhe que tentasse expressar algum sentimento a esse respeito. Seria ela capaz de exprimir um protesto acerca de sua sorte? Pedi-lhe que se deitasse na cama[25] e desse pontapés nela em protesto. Desferir pontapés em alguma coisa significa protestar e constitui um dos exercícios regulares em terapia bioenergética. Todos os pacientes têm alguma coisa que querem chutar. Os indivíduos neuróticos suprimem seus sentimentos, e dar pontapés é um modo de expressá-los. Também a voz está envolvida nesse exercício. Com os pontapés, pede-se à pessoa que diga "não" ou "por quê?". Ambas as palavras indicam protesto. Instruí especificamente Linda a elevar a voz o mais alto possível, soltando-a como um grito ou berro.

Linda tentou realizar o exercício, mas seus pontapés eram mecânicos e sua voz soava fraca. Faltava-lhe convicção. Queixou-se de que não tinha em seu íntimo nenhum sentimento de protesto, de modo que não podia executar adequadamente o exercício. Teria algum sentimento de tristeza que pudesse exprimir chorando? Não, não tinha qualquer sentimento de tristeza e não conseguia chorar. Tampouco era capaz de sentir cólera. De fato, não sentia nenhuma emoção suficientemente forte a ponto de expressá-la. Esse era o seu problema.

Percebi então que a aparência de Linda era uma fachada. Ela projetava a imagem de uma mulher bem-sucedida no mundo, mas a imagem não correspondia ao seu íntimo. Pressenti que, em seu âmago, ela sentia ser um fracasso. O medo do fracasso a havia levado à sua primeira reação depressiva. Por alguma razão, a imagem era tão importante para ela que absorvia a maior parte de sua energia, deixando-a sem força para expressar-se com sentimento, como uma pessoa real.

Para ajudar Linda, eu precisava entender o significado exato da imagem e de sua relação com a sua percepção do *self*. O que a imagem de êxito estava ocultando de forma tão eficaz? Por que e como ela adquiriu uma importância tão preponderante na vida de Linda? O que significava o fracasso? Não basta responder a essas perguntas em termos gerais. A imagem narcisista desenvolve-se, em parte, como compensação para uma imagem inaceitável do *self* e, também, como defesa contra sentimentos intoleráveis. Essas duas funções da imagem estão fundidas, pois a autoimagem inaceitável está associada a sentimentos intoleráveis. Só quando a terapia de Linda progrediu chegamos a entender o significado exato e o papel de sua imagem de sucesso.

A terapia é um processo de estabelecimento de contato com o *self*. Tradicionalmente, a abordagem do *self* tem ocorrido por meio da análise. Toda e qualquer terapia deve incluir uma análise completa da história do paciente, a fim de descobrir as experiências que modelaram sua personalidade e determinaram o seu comportamento. Lamentavelmente, essa história não é de fácil acesso. A supressão e a negação de sentimentos resulta numa repressão de recordações significativas. As fachadas que erigimos ocultam o nosso verdadeiro *self* tanto de nós mesmos como do mundo. Mas a análise tem outros materiais com que trabalhar além das lembranças.

A análise de sonhos constitui um modo de obter mais informações. Depois, existe a análise do comportamento atual, sobretudo como evidenciado na relação terapêutica. Com frequência, essa relação é extremamente emocional, porque sentimentos para com figuras importantes do passado, como os pais, são transferidos para o analista. Com a análise, os pacientes passam a ver as conexões entre suas atitudes e ações adultas e suas experiências infantis. Essa abordagem tradicional, entretanto, é limitada por depender excessivamente de palavras, as quais são elas mesmas apenas símbolos ou imagens.

Entrar em contato com o *self* exige mais do que análise. O *self* não é uma síntese mental, mas um fenômeno corporal. Estar em contato com nosso *self* significa perceber e estar em contato com nossos sentimentos. E, para conhecê-los, temos de vivenciá-los em toda a sua intensidade – o que só acontece quando os expressamos. Se a expressão de um sentimento é bloqueada ou inibida, o sentimento é suprimido ou diminuído. Uma coisa é falar sobre o medo, outra é *sentir* o medo e gritar. Dizer "estou furioso" *não* é a mesma coisa que experimentar um surto de emoção invadindo todo o corpo. Para sentir verdadeiramente a tristeza, a pessoa tem de chorar, o que Linda era incapaz de fazer. Ela havia sufocado seus soluços e seus gritos. Tinha engolido suas lágrimas. A tensão crônica em sua garganta afetou-lhe a voz ao falar, fazendo-a soar inerte.

Além da análise verbal, portanto, a terapia de Linda demandou o trabalho com seu corpo, fisicamente, a fim de reduzir sua rigidez, aprofundar sua respiração e abrir sua garganta.

Mencionei antes, neste capítulo, alguns dos exercícios que uso – dar pontapés na cama enquanto se diz "não", como expressão de protesto, e esmurrar a cama para exprimir cólera. São exercícios expressivos. Poderiam ser também incluídos: estender as mãos para estabelecer contato, chamar pela mãe ou clamar por socorro e esticar os lábios para beijar ou sugar. A maioria das pessoas tem grande dificuldade de soltar-se; elas são inibidas por um medo de rejeição, o qual é estruturado em tensões em torno dos ombros e da boca. Uso também certo número de posições para ajudá-las a sentir o próprio corpo da cabeça à ponta do pé. A mais simples delas é uma posição vertical com os pés paralelos e afastados uns 15 centímetros um do outro, os joelhos ligeiramente dobrados, o peso do corpo sobre as almofadas dos pés, o ventre avançado e a pelve ligeiramente recuada. Se a pessoa respirar fácil e profundamente com os ombros descontraídos, ela se sentirá suficientemente relaxada para acabar sentando-se. Essa é a posição em que a pessoa se deixa descair quando vem da manutenção rígida da posição em pé. Muitos pacientes que fazem esse exercício sentem certa ansiedade a respeito de se soltar ou se abaixar. Assim, eles conseguem sentir até que ponto se contêm a fim de manter o controle. Outra posição, chamada *grounding*, permite ao indivíduo sentir o contato com o chão ou o solo. A pessoa debruça-se e toca o chão com as pontas dos dedos. Os pés estão paralelos e a cerca de 30 centímetros um do outro, os joelhos levemente dobrados. Uma vez mais, é importante respirar profunda e livremente. Se as pernas forem sentidas de modo intenso neste exercício, elas vibrarão enquanto a corrente de excitação flui através delas. A vibração reduz a tensão nas pernas e confere uma sensação de vivacidade à parte inferior do corpo. Todos os exercícios devem estar sintonizados para as necessidades da pessoa, tal como se manifestam na expressão de seu corpo. Esse trabalho corporal visa facilitar a liberação de sentimento. E essa liberação muitas vezes traz à consciência uma recordação significativa do passado. A liberação de sentimentos elimina o bloqueio na função de percepção.

Após várias sessões e considerável trabalho, Linda rompeu o seu bloqueio da garganta. Como ela assinalou: "Consegui chorar com soluços profundos e senti uma tristeza imensa. Recordei que, quando criança, eu ficava bastante assustada porque mamãe e papai discutiam muito. Aterrorizava-me a ideia de que ele pudesse agredi-la ou ela a ele. Ficava sempre tensa, sentada na cama, quando eles discutiam, petrificada ou aterrorizada, pensando que um deles pudesse ser ferido, possivelmente morto. Mas eu não podia exprimir meus sentimentos, meu medo ou minha dor. Será que eu queria, subconscientemente, que papai matasse mamãe, para que eu pudesse tê-lo todo só para mim?"

Na sessão seguinte, examinamos esse problema em maior detalhe. Linda comentou a respeito das duas áreas em que se sentia imobilizada: sua vida amorosa e sua carreira. Na época, ela estava vivendo com um homem que ainda se sentia ligado à ex-esposa, bebia e não tinha endereço próprio – nem mesmo para correspondência. Linda comentou: "Sinto-me sufocada por ele ainda estar comigo o tempo todo. Penso que o amo ou, pelo menos, necessito dele". A respeito de seu trabalho, ela disse: "Estou tendo um problema com a minha carreira; necessito de uma mudança. Não quero estar fazendo a mesma coisa o ano que vem ou daqui a cinco anos, e isso me assusta. Estou realmente desesperada. Não me sinto propensa ao suicídio, mas tenho crises de desespero". Quando lhe perguntei se ela se sentia fracassada, respondeu: "Claro que sim". Perguntei então se ela seria capaz de chorar por isso, e Linda começou soluçando suavemente. Disse que a deixava muito triste perceber que tinha anulado seus sentimentos.

Quando passamos às relações com seu pai, a questão sexual veio à tona. Linda recordou: "Quando era criança, achava que a masturbação era um pecado. Sentia-me indigna quando me sentava no joelho de alguém – possivelmente de um tio – e isso me dava prazer. Mas não tenho recordação nenhuma de afeição física vinda do meu pai: ele nunca me pegou no colo".

"Meus pais acusavam-se mutuamente de estar errados", continuou Linda, "e, como criança, tinha de ouvir um lado de cada vez. Um queixava-se do outro comigo, uma criança de apenas 10 anos, e contava-me como se sentia. Naturalmente, tratei de suprimir meus sentimentos. Quando estavam discutindo, nunca tive coragem de mandar que calassem a boca. Era uma situação intolerável. Achei que meu pai fosse o instigador, pois era a jogatina que provocava as discussões – e, ao mesmo tempo, odiava minha mãe quando ela lhe respondia. Eu costumava ir para a cama à noite e cobria a cabeça com um travesseiro para abafar a gritaria. Recordo até que, quando tinha 6 ou 8 anos, quis cometer suicídio porque não podia suportar mais tanto bate-boca. Temia que ele a agredisse. Mas de fato eles nunca se agrediram." A história de Linda, entretanto, não me parecia completa. Ela reagia ao conflito entre seus pais como se aquilo fosse um pesadelo. Descreveu-o como "intolerável", dizendo que ficava petrificada e tinha desejado "morrer". Contudo, as discussões entre pais são demasiado corriqueiras para ser consideradas histórias de terror. Por que motivo, então, tantos pacientes descrevem sua experiência de brigas parentais assim? A criança teme que tais discussões resultem na morte de um dos pais. Linda indicou esse medo, que relacionei então com a situação edipiana. Ela suspeitara da relação. No período edipiano, dos 3 aos 6 anos, as crianças desejam a morte do genitor do mesmo sexo.[26] Ao mesmo tempo, a criança sente-se terrivelmente culpada a respeito desses sentimentos e tenta rejeitá-los. Presumi, pois, que Linda tinha receado que seu pai matasse a mãe porque, em algum nível, desejava que ele o fizesse para tê-lo todo só para si. Em nível consciente, porém, Linda voltava-se contra o pai e desejava que ele morresse. Ela disse até que ainda desejava isso, pois a vida da mãe ficaria muito mais fácil. Mas, ao voltar-se contra o pai, Linda também se voltava contra si mesma, contra o seu amor por ele e contra a sua sexualidade, que era uma expressão desse amor. Pelo menos, essa era a minha hipótese. Para testá-la, conferi seus sentimentos em relação a mim, pois, como seu terapeuta, eu era um substituto paterno.

Enquanto Linda permanecia deitada na cama, debrucei-me sobre ela, meu rosto a uns 30 centímetros do dela. Quando nossos olhos estabeleceram contato, senti que ela me encarava com um olhar positivo. Perguntei-lhe se gostaria de me beijar (não beijo as minhas pacientes, mas permito-lhes que expressem verbalmente seus sentimentos). Linda disse que tinha medo de me beijar, pois isso era impróprio e "sujo". Mas, assim que disse isso, começou a chorar e soluçar. Ela estava em conflito acerca de seus sentimentos. Se não podia aceitá-los, podia ao menos protestar. Sugeri então que desse pontapés na cama e gritasse "Por quê?". Depois desse exercício, que executou com alguma emoção, Linda sentiu certo alívio.

Na sessão seguinte, pedi-lhe que estendesse a mão e tocasse meu rosto. Eis as suas palavras sobre a experiência, tal como as registrou em seu diário após a sessão: "Um grande avanço aconteceu quando tive de segurar seu rosto e dizer que gostava dele. Não era capaz de fazê-lo. As palavras sufocavam-me a garganta – não saíam – e, quando finalmente as articulei, pus-me a chorar. Chorei convulsivamente antes de poder dizer qualquer coisa. Não consegui dizer: 'Amo você'. As palavras não saíam da garganta. Mas, enquanto soluçava, disse: 'Do que tenho medo? Por que não posso dizer eu o amo?' Agora sinto de fato minha tristeza".

Disse a Linda ter pressentido que ela achava não ter o direito de incomodar ninguém com sua tristeza. Sua atitude em face do pesar era envergar um "rosto feliz", manter uma expressão sorridente. Ela comentou então: "Meus pais contavam-me todos os seus problemas e como estavam perturbados. Naturalmente, eu achava que não devia compartilhar com eles minhas preocupações. Por conseguinte, engolia toda a tristeza. Por que eu não podia dizer a meus pais que era infeliz e estava triste por eles discutirem o tempo todo, e sentia-me uma desgraçada? Entendo agora por que tenho tal neurose a respeito da minha voz e da garganta – inclusive um medo enorme de ter câncer na garganta. Nunca me senti uma pessoa articulada".

Após essa sessão, Linda escreveu: "Fui finalmente capaz de sucumbir. Estava triste e dolorida, mas sentia-me inspirada e maravilhosa quando saí – e assim fiquei o resto do dia".

Podemos ver agora que a imagem de Linda e sua realidade interior eram antagônicas. A imagem apresentada ao mundo era a de uma pessoa respeitável, competente e bem-sucedida. Ela era "alguém". Infelizmente, Linda não se sentia valiosa; não se achava no direito de expressar-se como pessoa, a ter voz em seus assuntos. Se ela não sentisse tudo isso, não teria havido problema algum. Mas, no começo de sua terapia, não consegui dizer o que ela sentia. Linda suprimira todo o sentimento. Só depois das experiências que descrevi ela foi capaz de se abrir e de revelar seu âmago.

A verdadeira percepção do *self* é determinada pelos sentimentos do corpo. E reflete-se na expressão do corpo. Mencionei que Linda era uma mulher atraente. Num aspecto, porém, seu corpo era feio – com pelve e nádegas excessivamente pesadas e largas. Havia certa passividade nessa área e, de fato, era difícil para ela movimentar a pelve fácil e livremente. Linda estava cônscia dessa dificuldade, tendo experienciado a passividade da parte inferior de seu corpo durante relações sexuais. (Ela nunca atingira o orgasmo com um homem no ato sexual.) A passividade relacionava-se com um sentimento de que, sexualmente, ela estava "ali" para o homem, mas não para si mesma. Quando discutimos o significado de sua imobilidade pélvica, Linda assinalou que sua

Narcisismo

mãe tinha o mesmo problema. Ela se identificava, então, com a mãe. "Acho que somos parecidas, de algum modo", respondeu Linda, "mas sempre tentei ser diferente dela." A diferença expressava-se no papel que Linda adotou, na imagem que projetou. As semelhanças, contudo, sobressaíam em nível corporal e em padrões de comportamento que eram inconscientemente determinados. Ambas eram sexualmente passivas, sugerindo sentimentos profundos de culpa sexual, os quais favoreciam sentimentos de inferioridade e de inadequação. Pertencendo à geração moderna, Linda rebelava-se contra seu "destino" – em contraste com a mãe, que aceitava o dela, casara e constituíra família. Mas Linda tinha de pagar um preço por sua rebelião: nada de casamento nem de filhos.

Formulei antes uma pergunta a respeito da imagem de Linda: qual era o seu significado exato? Ser uma mulher bem-sucedida significava ser diferente de sua mãe. O fracasso significava que ela não era melhor do que a progenitora. Mas como surge a ideia de competição entre mãe e filha (ou pai e filho)? Não acredito que isso seja natural[27]. Na ordem natural das coisas, os filhos tendem a imitar os pais, não a comparar-se com eles. Competir ou comparar-se com um dos pais subentende uma posição de igualdade. Os filhos só podem sentir-se iguais aos pais se forem tratados como iguais por um deles ou por ambos. Vimos que ambos os pais de Linda fizeram isso com ela, partilhando com a filha seus problemas e ansiedades. Os pais que buscam compreensão e empatia de uma criança tratam-na como a um igual, colocando-a numa posição adulta. Semelhante situação ocorre quando um dos pais mostra ser sexualmente excitado por uma criança. Em ambos os casos, a criança é seduzida e usada. O efeito, porém, é fazê-la sentir-se especial. Foi o que aconteceu a Linda.

A terapia de Linda continuou progredindo de maneira satisfatória. Ela se sentiu capaz de expressar mais sentimento. Chorava mais fácil e profundamente acerca de sua vida passada e presente. Por meio do trabalho corporal com sua pelve, ela desenvolveu mais sentimento sexual. Depois, conheceu um homem bem-sucedido na vida que, ao contrário de seus amantes anteriores, estava interessado em se casar com ela. Seu casamento requeria a mudança para outra cidade e sua terapia comigo terminou.

O caso de Linda ilustra numerosos pontos acerca do narcisismo. A grandiosa imagem do *self* que caracteriza o narcisista compensa uma percepção insuficiente e ineficaz do *self*. Ela representa um esforço consciente para ser diferente (melhor), mas não altera a personalidade básica ou o *self*. Este é uma função da vivacidade do corpo; não está submetido ao controle consciente.

Tudo que a pessoa pode fazer conscientemente é alterar sua aparência – com efeito, mudar sua imagem – e isso tem apenas um efeito superficial sobre a personalidade, assim como mudar de roupa não muda o corpo por baixo dela. Mudanças mais profundas requerem a expressão dos sentimentos suprimidos e negados. Para tanto, a pessoa deve descarregar as tensões musculares crônicas que bloqueiam o sentimento e trazer à consciência as recordações reprimidas.

Esse procedimento faz parte da abordagem terapêutica básica para todos os problemas neuróticos, inclusive o narcisismo. Mas nenhum procedimento terapêutico é eficaz se o terapeuta não compreender o paciente como pessoa. Todo problema caracterológico se desenvolve mediante a interação ou o entrelaçamento de diversas forças, cada uma das quais deriva de alguma experiência importante nos primeiros anos de vida. Cada fibra da tessitura da personalidade tem de ser separada; sua origem, determinada; sua função, elucidada. No caso de Linda, esclarece-se que a imagem servia para compensar o sentimento de inadequação. Quando Linda tomou consciência das origens de seus medos e culpas, principalmente sexuais, pôde agir com mais sentimento e menos preocupação com sua imagem. Seu narcisismo declinou. Passou a sentir menos necessidade de negar os sentimentos.

A imagem por si só é uma negação dos sentimentos. Ao identificar-se com uma imagem grandiosa, a pessoa pode ignorar o componente doloroso de sua realidade interior. Mas a imagem também serve a uma função externa em relação ao mundo. É um modo de assegurar a aceitação por parte dos outros, um modo de seduzi-los e de ganhar poder sobre eles.

4. Poder e controle

O impulso de adquirir poder e controle caracteriza todos os indivíduos narcisistas. Nem todo narcisista obtém poder, nem toda pessoa com poder é narcisista, mas uma necessidade de poder é parte do distúrbio narcisista. Qual é a relação entre narcisismo e poder? No capítulo precedente, vimos que o narcisismo se origina da negação de sentimento. Embora isso afete todos os sentimentos, duas emoções em especial estão sujeitas a severa inibição: a tristeza e o medo. Elas se destacam porque sua expressão faz a pessoa sentir-se vulnerável. Expressar tristeza leva à percepção consciente de uma perda e suscita o anseio e a nostalgia. O anseio por alguém ou a necessidade de alguém deixa a pessoa vulnerável à possível rejeição e humilhação. Não querer ou não sentir desejo é uma defesa contra possível dano ou mágoa. A negação de medo tem um objetivo semelhante: quem não sente medo não se sente vulnerável; assim não pode ser magoado. A negação da tristeza e do medo permite-nos projetar uma imagem de independência, coragem e força. Essa imagem esconde a vulnerabilidade de nós mesmos e dos outros. A imagem, entretanto, é apenas uma fachada e, por conseguinte, impotente. Em si mesma, uma imagem não tem força; esta reside no vigor dos sentimentos do indivíduo.

Carecendo da força efetiva de sentimentos vigorosos, o narcisista necessita de poder e busca-o para compensar essa deficiência. O poder parece insuflar energia à imagem do narcisista, dar-lhe uma potência que, do contrário, não teria. Um dos meus colegas de turma na faculdade de Medicina era baixinho, não mais de 1,55 m de estatura. Para compensar sua pequenez física, desenvolveu uma imagem grandiosa de si mesmo. Quando era ainda um aluno do primeiro ano, declarou sua intenção de resolver o mistério da consciência. Sua pompa mostrava-se também num detalhe interessante. Enquanto a maioria das pessoas usa a expressão "Trocar seis por meia dúzia", esse homem sempre dizia: "Trocar 12 por uma dúzia". É certo que essa observação, em si mesma, dificilmente impressionava as pessoas, mas revelava, de qualquer modo, sua preocupação com grandes dimensões. Mas o que de fato impressionava era que, numa época em que quase ninguém tinha carro – e quem tinha dirigia veículos pequenos –, meu colega dirigia um imenso Buick. Por intermédio da potência de seu carro, ele sentia e projetava uma imagem de grandeza. Com bastante dinheiro ou poder, qualquer pessoa transmite uma imagem de aparente importância e força. Com uma bomba ou uma arma de fogo na mão, as pessoas mais fracas podem ver-se como uma força poderosa no mundo. E, de fato, são. Ao contrário do ser humano comum, elas têm o poder de destruir.

Todos somos vulneráveis ao desgosto, à dor, à rejeição ou à humilhação. Mas nem todos nós negamos nossos sentimentos, tentamos projetar uma imagem de invulnerabilidade e superioridade ou lutamos pelo poder. A diferença reside em nossas experiências da infância. Como crianças, os narcisistas sofrem daquilo que os analistas chamam de "grave lesão narcisista", um golpe desferido no amor-próprio que deixa cicatrizes e modela sua personalidade. Esse ferimento acarreta humilhação – especificamente a experiência de ser impotente enquanto outra pessoa desfruta do exercício do poder e controle sobre a primeira. Não acredito que uma única experiência modele o caráter; mas, quando uma criança está constantemente exposta à humilhação, de uma forma ou de outra o medo da humilhação estrutura-se no corpo e na mente. Tal pessoa poderá facilmente declarar: "Quando eu crescer, serei poderosa e nem você nem ninguém será capaz de me fazer isso de novo". Infelizmente, como veremos, tais lesões narcisistas ocorrem a muitas crianças em nossa sociedade porque os pais usam seu poder para controlar os filhos em nome dos seus próprios interesses.

Para os narcisistas, o controle exerce a mesma função que o poder: protege-os de possível humilhação. Em primeiro lugar, controlam a si mesmos, negando aqueles sentimentos que poderiam torná-los vulneráveis. Mas também têm de controlar as situações em que se encontram; precisam assegurar-se de que não existe possibilidade alguma de que qualquer outra pessoa tenha poder sobre elas. Poder e controle são as duas faces da mesma moeda. Juntos, atuam para proteger o indivíduo do sentimento de vulnerabilidade, do sentimento de incapacidade de impedir uma possível humilhação.

O CASO DE CLARA

Numa consulta recente, Clara, uma personalidade de fronteira, descreveu uma experiência com seu terapeuta em que ficou apavorada quando ele colocou a mão na sua nuca para aliviar a tensão nessa área. Clara explicou seu medo, dizendo que muitas coisas lhe eram feitas sem o seu conhecimento. Quando lhe perguntei que espécie de coisas, ela respondeu: "Meus pais estavam cogitando me internar num hospital psiquiátrico sem me dizer nada. Isso quando eu tinha 17 anos. Em outra ocasião, quando tinha 14 anos e estava numa colônia de férias, mudaram-me de escola sem me consultar".

Fui informado de que a ideia de hospitalização fora de fato proposta pelo terapeuta de Clara nessa época. Ela explicou que consultara um terapeuta porque se sentia muito perturbada: "Eu estava extremamente zangada e rebelde à época. Meus pais tinham-se divorciado um ano antes e meu pai voltara a se casar. O divórcio foi horrível. Minha mãe foi impedida de entrar em sua casa e acusada de adúltera. Eu ficara vivendo com meu pai. Quando minha madrasta fez um comentário insultuoso a respeito do adultério de minha mãe, agredi-a".

A hospitalização fora sugerida porque Clara se tornara bastante desorientada e parecia incapaz de coordenar seus movimentos. Descobriu-se, porém, que seu estado tinha sido induzido por um remédio, um efeito colateral da medicação que lhe fora prescrita. Assim, a hospitalização tornou-se desnecessária.

Quando Clara relatou esses incidentes, ligados a coisas que eram feitas às suas costas, perguntei-lhe como se sentia a respeito de tudo isso: "Você se sente furiosa?" Ela respondeu: "Não. Sinto-me impotente".

Clara reconheceu então que se sentira impotente a vida inteira – não abandonada, mas impotente. Recordou um grupo de terapia que tinha frequentado dois anos antes. Aos participantes era dado um exercício de dez minutos, o qual envolvia criticar duramente seus pais. Cada um devia expressar em voz alta seus sentimentos negativos a respeito do pai. Clara descreveu como abrira a boca mas nenhum som saiu. Não podia. Não tinha voz. Quando criança, nunca tivera voz, seus assuntos nunca foram levados em conta. E, de certo modo, a situação ainda era a mesma. Ela continuava incapaz de gritar.

Embora Clara não pudesse mobilizar deliberadamente seu protesto ou sua cólera, podia reagir num acesso narcisista e rebelde de raiva e agredir a madrasta. Era uma reação histérica (diferente da histeria) porque ela estava descontrolada. Examinarei essa reação com mais detalhes ainda neste capítulo. Por ora, devemos reconhecer o comportamento de Clara como uma reação ao seu sentimento de impotência. Como chega uma pessoa a sentir-se tão impotente? Quem era o pai de Clara? Que espécie de pessoa era ele? Segundo Clara, "ele era um touro. Um indivíduo que controla as pessoas. Aparenta sempre ser um sujeito bacana e a maioria das pessoas assim o vê, mas provoca tantos transtornos! Em seus negócios é implacável. Sua única meta é o poder: dinheiro e poder. É um homem bonito, mas enorme e corpulento. Quando ficava zangado, era assustador".

Pela descrição de Clara, eu arriscaria dizer que seu pai era um narcisista bastante rico e bem-sucedido na vida. A família de Clara vivia numa pequena comunidade de outras pessoas ricas e vitoriosas. Ao descrever esse ambiente, Clara comentou: "Aos 18 anos e meio fugi de casa e tive experiências com drogas, LSD etc. Morei com as pessoas erradas. Mas muitos garotos de minha idade, da minha cidade natal, são loucos! Um é viciado e traficante, outro é lavador de pratos. E todos vêm de famílias ricas".

Clara, portanto, adotara um caminho diferente do de seu pai. Uma diferença entre o caráter narcisista e a personalidade de fronteira é que o primeiro está apto a compensar o dano narcisista conquistando poder, ao passo que a segunda, apesar dos esforços para alcançar uma posição de poder, permanece com um sentimento profundo de impotência. É claro, esta é uma distinção de grau – o narcisista não é onipotente e a personalidade de fronteira não é impotente por completo.

HUMILHAÇÃO NA INFÂNCIA E LUTAS PELO PODER NA FAMÍLIA

O depoimento de Clara sugere que, quando criança, ela sentiu-se humilhada. Todos os meus pacientes narcisistas tiveram a experiência de ser profundamente humilhados na infância por pais que usavam o poder como meio de controle. Em muitos casos, o poder é a força física; os pais usam sua força física superior para obrigar a criança a submeter-se. Os espancamentos são uma forma comum de maus-tratos físicos e podem ser especialmente humilhantes se a criança for forçada a expor seu traseiro aos golpes. Não raro, a criança é surrada com uma escova de cabelo ou uma cinta, o que reputo um tratamento insuportavelmente cruel. Por vezes, a humilhação aumenta, quando a criança é obrigada a ir buscar o instrumento de punição ou se vê ameaçada de punição em dobro ao tentar fugir. Alguns pais intensificam o espancamento se a criança chorar, como que lhe negando até o direito de expressar sua dor. Fiquei chocado com algumas histórias que ouvi de pacientes. Na maioria dos casos, a punição excedeu tanto a natureza do delito que não pude deixar de ver nisso uma demonstração pura e simples de poder: "Eu lhe ensinarei a não me contrariar no futuro". Por vezes, identifiquei um elemento sádico na punição, quando a história do paciente indicou que o pai (ou a mãe) gostava realmente de infligir dor à criança.

É claro, o castigo físico não constitui o único modo de humilhar as crianças. Em geral, elas são criticadas de maneira que as faz sentir-se imprestáveis, incompetentes ou idiotas. Tais críticas não servem a nenhum propósito útil; em minha opinião, pretendem apenas provar a superioridade dos pais. Alguns pais riem ou zombam do filho quando este comete um engano ou não dá a resposta que eles acham que deveria dar. Quando a criança chora, os pais podem rejeitar os sentimentos dela, fazendo algum comentário sarcástico a respeito de "lágrimas de crocodilo". É extensa a lista de métodos pelos quais as crianças podem ser subjugadas, espancadas, violadas e desrespeitadas em sua humanidade e personalidade. E muitos pais pensam não haver nada de errado nessa atitude. Acham que é o certo a fazer para criar um filho. É claro, quando isso chega ao ponto de maus-tratos físicos que levam a criança ao hospital, todos ficamos chocados.

Surge inevitavelmente a pergunta: por que os pais se comportam desse modo? As crianças aprendem mais com compreensão e carinho do que com força e punição. E, se o castigo é necessário, pode ser aplicado sem humilhar a criança. Uma das respostas que encontro para essa pergunta é que os pais executam na prática com seus filhos a espécie de tratamento que receberam dos próprios pais. Deve-se também reconhecer que as crianças são os objetos mais fáceis e acessíveis sobre os quais os pais podem descarregar frustrações e ressentimentos. Os pais que se sentem impotentes no mundo podem compensar esse sentimento sendo ditatoriais com seus filhos. Mas, por muito válidas que essas respostas sejam, não creio que nos contem a história toda. O que facilitou o recrudescimento de distúrbios narcisistas em comparação com épocas anteriores?

Acredito que o uso do poder na criação dos filhos, embora não seja novidade, adquiriu um caráter diferente nos últimos anos. A razão disso reside na crescente desintegração da autoridade no lar e na comunidade, processo que se iniciou no final da Primeira Guerra Mundial. Por autoridade entendo a autoridade respeitada. Quando a autoridade do pai é respeitada por ser essa a prática estabelecida na comunidade, a questão do poder tem menos importância. Os pais falam não só num sentido pessoal mas também com a voz da comunidade. Portanto, o poder é derivado da comunidade e exercido em nome desta. Uma vez que os pais são responsabilizados e estão sujeitos a prestar contas por seu comportamento em relação aos filhos, não podem abusar tão facilmente desse poder.

O colapso da autoridade generalizou-se na cultura ocidental; não está limitado apenas ao lar. O resultado foi um crescente uso do poder. Quando o poder é a autoridade suprema, numa nação ou num lar, o regime é autoritário. Mas não tem sido sempre o uso da força ou do poder o árbitro final? Isso acontece quando a questão passa a concentrar-se no poder. Todavia, os regimes democráticos têm demonstrado que os conflitos podem ser resolvidos sem o uso da força. E, ao longo de muitas gerações, as famílias respeitaram códigos de comportamento que se baseavam menos no poder dos pais do que na coesão social.

A ênfase sobre o poder dos pais leva inevitavelmente à rebelião ou submissão dos filhos. A submissão encobre rebeldia e hostilidade íntimas. A criança que se submete aprende que as relações são governadas pela força, o que prepara o terreno para uma luta pelo poder quando adulta. As crianças aprendem depressa a fazer o mesmo jogo que seus pais – o jogo do poder. O melhor método para dominar os pais consiste em fazer algo que os perturbe, como não comer, não ter bom aproveitamento escolar ou fumar. Diante de tal comportamento, "silenciosamente" destrutivo, os pais ficam quase sempre desesperados e se dispõem a dar à criança o que ela quer, se ela ceder. Mas, como a submissão significa perda de poder, a ameaça de rebeldia deve estar sempre presente. Uma vez desencadeada a luta pelo poder entre os pais e a criança, ninguém pode ceder nem ganhar.

O conflito entre pais e filhos decorre, em geral, do desejo parental de moldar o filho de acordo com uma imagem ideal e da resistência filial a esse esforço. O uso de força superior pelos pais é apenas uma das táticas empregadas nessa luta. A criança pequena é um ser indefeso e dependente ao extremo; ela pode ser facilmente controlada por meio de qualquer expressão forte de reprovação parental ou pela força e pela punição físicas. Com as crianças mais velhas, a sedução poderá ser cada vez mais utilizada para manter o controle. Uma promessa de tratamento especial e intimidade é oferecida se a criança concordar com os desejos dos pais.

Narcisismo

Esse era o padrão vigente em minha infância. Quando eu era muito novo, minha mãe beliscava-me para me manter quieto e calado e para que eu a obedecesse. Depois, já rapazinho, a punição por desobedecer era não me deixar sair de casa quando queria brincar lá fora com os outros garotos. Mais tarde, porém, minha mãe fez-me saber como eu era importante para ela. Em vez de afirmar seu poder pela força, passou a partilhar comigo seus desapontamentos e mágoas. Expressava a esperança de que eu cuidasse dela quando ficasse mais velha. Eu concretizaria seus sonhos, já que meu pai não o fizera. Eu sabia que era especial para ela. E, em certos aspectos, realizei esses sonhos.

A luta pelo poder entre os pais e a criança costuma fazer parte da luta maior pelo poder que se trava entre marido e mulher. A guerra dos sexos tem lugar sobretudo na família. Essa luta foi travada entre minha mãe e meu pai. Este queria sexo e prazer; já ela queria que ele trouxesse mais dinheiro para casa. O poder dela residia em recusar o sexo. Fazia que meu pai lhe pedisse e só então cedia relutantemente. Mas ele retaliava. Seu poder estava no controle do dinheiro. Fazia minha mãe pedir-lhe e só o liberava pouco a pouco, reclamando. Ela o humilhava em um nível e ele a humilhava em outro. Era uma briga de cão e gato, que prosseguiu até que cresci e saí de casa – após o que, segundo parece, ambos se resignaram à situação.

Ambos apelavam a mim para que eu entendesse a posição de cada um. E eu entendi. Minha mãe tinha razão em pedir uma verba definida a cada semana para cuidar da casa. Meu pai tinha razão ao dizer que trabalhava como um "cão" para ganhar o que ganhava e que merecia um pouco de prazer. De fato, ele trabalhava duro, embora com pouca eficiência. Eu estava dividido por essa luta entre os dois, tal como Linda pela luta na sua família. O efeito em mim foi duplo. Dei-me conta de que o dinheiro representava poder e decidi ganhar muito para que uma mulher jamais me humilhasse. Contudo, simpatizando com a posição de minha mãe, não consegui usar facilmente o dinheiro como meio de controle.

Mas por que temeria eu a humilhação de uma mulher? Por que teria de provar meu valor para ter direito a seus favores sexuais? A resposta é que eu me sentia culpado a respeito de meus desejos sexuais. Tinha sido ensinado a sentir vergonha deles e doutrinado pelas ideias antissexo de minha mãe. Ela acreditava que o homem usa a mulher sexualmente. Mas por que eu absorveria suas ideias, uma vez que os sentimentos sexuais eram uma fonte de prazer para mim? Duas razões se apresentam. Uma é um anseio oral irrealizado que me fazia querer estar junto dela quase a qualquer custo. A segunda era sua oferta de um lugar especial para mim, ao qual eu não podia resistir. O efeito foi deixar-me inseguro a respeito de minha sexualidade e, assim, abalar minha masculinidade. Assim, eu era especial e superior por um lado, mas inseguro e envergonhado por outro. Se me apresentava como superior, temia ser exposto como o contrário. Todo narcisista tem um medo profundo de humilhação porque sua imagem grandiosa encobre um sentimento subjacente de incompetência.

O poder é um modo de nos protegermos contra a humilhação. É um meio de superar o sentimento de inferioridade. É um antídoto para a impotência sexual. Esta última asserção não deve ser interpretada no sentido de que toda pessoa que não tem poder é sexualmente impotente. Também não significa que os indivíduos que são sexualmente impotentes desejem ou lutem abertamente pelo poder.

A criança a quem se faz sentir que é especial converte-se no centro da luta parental pelo poder, e sua posição torna-se especialmente crítica durante o período edipiano[28]. Se se tratar de um menino, torna-se rival do pai, uma vez que a mãe o entroniza como superior a este. A menina torna-se rival da mãe pelo amor do pai, por meio do interesse especial dele pela filha. Assim, a criança vê-se tolhida numa situação desesperada. De um lado, há sempre o perigo de hostilidade do genitor do mesmo sexo; de outro, caso a criança responda sexualmente à sedução, um medo de incesto ou rejeição humilhante. Quase sempre, o genitor sedutor é também propenso à rejeição. Nessa idade, o medo de incesto é o medo físico do aparentemente poderoso órgão genital adulto. Infelizmente, a criança só consegue sair desse tipo de situação edipiana eliminando os sentimentos sexuais. Ela não elimina a genitalidade, mas a sexualidade – ou seja, as sensações que se fundem na pelve, as quais são a base do amor sexual. Mas esse corte de sentimento equivale a uma castração psicológica e deixa a pessoa orgasticamente impotente. Tenho convicção de que, no nível mais profundo, essa impotência é a base da luta pelo poder.

Estar submetido a alguém é uma experiência humilhante. Esse insulto ao ego só pode ser eliminado invertendo-se a situação – ou seja, dominando aquele que infligiu o dano narcisista. A pessoa pode, é claro, submeter-se à dominação, mas tal submissão encobre um ódio profundo. Obviamente, não pode haver amor numa relação em que o poder desempenha um importante papel.

Narcisismo

Essas considerações são importantes para compreender as lutas pelo poder que se travam no seio das famílias. Nelas, o desfecho raramente é o certo ou errado de determinada ação, mas quem vai levar a melhor sobre quem. Nos primeiros anos da vida de uma criança, os pais são mais fortes e quase sempre vencem. Mas, na maioria dos casos, a vitória dos pais não encerra a luta. Quando a criança for mais velha e mais forte, desafiará repetidamente os pais num esforço para destruir o poder parental e dominá-los. Essas lutas são extremamente destrutivas para as relações familiares e para todos os envolvidos. Entretanto, na medida em que o poder é uma questão presente na família, essas lutas são inevitáveis.

Um roteiro típico poderia ser este:

Criança: Posso ver televisão?
Mãe: Não.
Criança: Por quê?
Mãe: Você tem de fazer sua lição de casa.
Criança: Mas hoje não tenho lição de casa. Posso ver televisão agora?
Mãe: Não.
Criança: Por quê?
Mãe: Porque eu disse não! E chega.

Essa declaração é a palavra final. A mãe quer ser obedecida e não ter suas decisões constantemente desafiadas, como as crianças farão. É importante para ela mostrar firmeza e autoridade, no sentido de "não faça perguntas". A mãe acredita que a vacilação denunciaria fraqueza e daria à criança poder sobre ela. Ela perderia o controle sobre o filho, que se converteria num ser anárquico e destrutivo, impossível de controlar. O controle tem de ser mantido o tempo todo, e a única maneira de fazer isso é afirmar o próprio poder. A mãe é que deve saber sempre o que é melhor. Não pode ser contestada. Os regimes ditatoriais usam uma linha de raciocínio semelhante para justificar o uso do poder para controlar as pessoas.

A EXCESSIVA ÊNFASE SOBRE O PODER NA SOCIEDADE

Vimos como o esforço do narcisista para obter poder deriva de um profundo sentimento de humilhação sofrido quando criança. Mas dizer isso não nos ajuda a compreender a origem das lutas pelo poder *per se*. Mesmo quando os pais começam com as melhores das intenções, tais lutas parecem desencadear-se. Serão inevitáveis? A minha tese é de que tais lutas são inerentes à ênfase sobre a aquisição do poder pelo poder.

Assim como a cultura ocidental contemporânea promove o narcisismo, também está orientada para o poder e por este obcecada. A civilização e o modo de vida modernos seriam impossíveis sem a tremenda energia e força (combustível e máquinas) existentes para executar o trabalho. No passado, a detenção do poder estava claramente restrita a poucas pessoas: reis, nobres, mercadores, bispos etc. Eles tinham seus cavalos, seus escravos e seus criados; mas, quantitativamente falando, seu poder era pequeno comparado com o que pode ser dominado hoje. Por exemplo, um americano comum detém mais potência em seu automóvel do que qualquer fidalgo vitoriano com seus estábulos e sua criadagem. É claro que, relativamente falando, o fidalgo tinha mais noção de poder do que o atual proprietário de automóvel. Contudo, não devemos minimizar a sensação de poder que emana da posse e do controle de uma máquina. A excitação de uma motocicleta de grande potência reside na sensação de poder que confere a seu proprietário. Que nobre inglês podia cruzar o Atlântico com a facilidade com que o fazemos hoje? A tecnologia dotou o homem moderno de um senso de poder que nunca teve antes. A questão é: como esse poder acessível afeta a psicologia e o comportamento das pessoas? Que papel desempenha ele na gênese do narcisismo? É fácil dizer que o poder sobe à cabeça da pessoa, infla-lhe o ego e converte-a em narcisista. Mas não é assim que o narcisismo se desenvolve. Ele resulta da negação de sentimento, da perda do *self* e da projeção de uma imagem para compensar essa perda. De que modo o poder favorece tal processo? Para entendermos isso, devemos partir do princípio de que o poder tem um fascínio aparentemente irresistível. Quase todas as pessoas o querem.

A mais óbvia vantagem de deter poder é a recompensa material que ele traz. O rei vive usualmente num palácio, o presidente de um país numa casa imponente e o dono de uma grande empresa, numa mansão. Em todos os aspectos, seu padrão de vida é superior ao das pessoas comuns. E dispõem dos serviços alheios para executar tarefas rotineiras que a maioria de nós se encarrega de fazer. Não há contestação para o fato de que o poder acarreta muitas prerrogativas materiais, as quais são um motivo relevante para o desejo de poder. Mas não constituem a sua característica mais básica.

A luta pelo poder nem sempre se dá entre ricos e pobres. Em tempos feudais, a maioria das guerras era travada por um rei que vivia num castelo contra um rei que vivia em outro castelo. Como, na grande maioria, cada um desses reis tinha todo o conforto material existente na época, a necessidade material não pode ser considerada o principal motivo das guerras. Estas eram travadas pelos senhores para aumentar seu domínio e ampliar seu controle – em outras palavras, para ganhar mais poder. É certo que a vitória aumentava as possessões do vencedor e sua riqueza, mas estas eram mais importantes como símbolos de poder ou como método do que como objetos que ampliavam diretamente o conforto ou o prazer. A quantidade de joias que um monarca usa não tem relação alguma com as necessidades humanas. Então, por que não pode ele ter apenas o suficiente? Em última análise, as joias são símbolos de *status*, o que também é verdade quanto a boa parte de nossa riqueza.

A limusine que conduz um executivo pode ser mais confortável que um automóvel comum, como também é imensamente mais prestigiosa. Um palácio, na realidade, é mais um lugar de ostentação do que um lar.

O poder confere *status*. Não será isso um objetivo legítimo? Todos nós buscamos adquirir *status*, e o mesmo ocorre com muitos outros animais. Entre as galinhas no terreiro existe uma ordem de bicadas que reflete o *status* de cada ave. O *status* é fundamental para regular as relações entre todos os animais que vivem em grupos, como rebanhos ou alcateias. Em tais grupos, estabelece-se rapidamente uma hierarquia entre os membros. *Status* ou posição na hierarquia determina a precedência nas duas mais importantes funções da vida animal: acesso ao alimento e ao acasalamento. Traduzido para termos humanos, isto significa que o rei obteria o melhor alimento e a mulher mais linda, o que era, de fato, prática no passado. Entre os animais, esse sistema tem um valor definido de sobrevivência para a espécie, porquanto assegura a reprodução dos membros mais robustos e mais bem-adaptados. Poderíamos especular que semelhante sistema funcionou nas sociedades humanas primitivas. Presumivelmente, os chefes teriam sido os mais fortes, os mais corajosos e os mais sábios, portanto qualidades que promoviam o bem--estar de seu povo. Se suas mulheres também tinham essas qualidades, seus filhos as herdariam, segundo todas as probabilidades.

Mas essas considerações são biológicas, não psicológicas. Nem um rei nem uma rainha estão pensando na sobrevivência dos mais aptos em suas atividades amorosas. Sua atração recíproca é física e sua motivação é o prazer que o ato sexual proporciona, não o produto dessa atividade. Ou isso é o que gostaríamos de pensar. Acontece – ou melhor, acontecia – que os reis casavam menos pelo prazer do que pelo poder, e à atividade sexual régia era frequentemente imposta a necessidade de produzir um herdeiro. Mas houve uma época em que os reis eram os mais fortes e os mais corajosos e as rainhas as mais formosas da Terra, pelo menos de acordo com as lendas e os contos de fadas. A mulher mais bela acena com a promessa de maior prazer sexual para o homem, assim como o homem mais forte e mais valente acena com uma promessa análoga para a mulher. Não se trata de falsas promessas quando se baseiam na realidade corporal das pessoas. Biologicamente, o *status* de um indivíduo é representado por sua potência sexual, a qual é uma expressão de sua vitalidade e energia. Na natureza, em oposição à cultura, ninguém detém o poder.

Originalmente, portanto, o *status* levou ao poder. Mas, assim que o poder entrou nos assuntos humanos, essa relação inverteu-se. O poder criou *status*. A associação entre ambos estendeu a imagem de potência sexual a pessoas investidas de poder. Isso explica por que tantas mulheres são sexualmente excitadas por – e atraídas para – homens poderosos. Não haveria problema se o poder pertencesse ao indivíduo superior. Mas, hoje em dia, não é esse o caso. O inverso é quase sempre verdadeiro. O homem que necessita e busca poder é, na maioria dos casos, relativamente impotente do ponto de vista sexual. O poder é o seu modo de compensar a falta de potência sexual. A questão que se discute é esta: como as mulheres se enquadram nesse esquema? As mulheres narcisistas buscam o poder para compensar, em algum sentido, a inadequação sexual? Sim. O poder é o antídoto para sentimentos de incompetência e insensibilidade nos níveis pessoal e sexual, e as mulheres estão sujeitas a eles tanto quanto os homens. Tal como qualquer homem, elas podem lutar pelo poder no mundo dos negócios, da política, dos esportes etc. Estou falando aqui sobre a necessidade de poder e a luta para obtê-lo. Mas o poder também pode ser adquirido por uma mulher por causa de suas aptidões superiores em qualquer campo de atividade. Será que isso reforçará seu atrativo sexual, como no caso do homem? Assim deveria ser, já que, psicologicamente, o poder equipara-se à superioridade – o que, em nível físico, se traduz por mais energia e vitalidade. Entretanto, muitos homens mostram-se atemorizados diante das mulheres poderosas; assim, a sua atração sexual se limitaria àqueles homens que se consideram seus iguais. No passado, o poder era quase sempre reservado aos homens, forçando muitas mulheres a usar seus encantos sexuais a fim de obter poder. Com frequência, um poder considerável. Assim,

Narcisismo

eu me arriscaria a dizer que, no caso dos homens, o poder equipara-se à potência sexual, ao passo que, no caso das mulheres, os atrativos sexuais se igualam ao poder.

Em minha opinião, é um erro acreditar que a psicologia e o comportamento de homens e mulheres são congruentes. Pouquíssimas mulheres que conheço ou a quem tratei se queixaram de sua incapacidade de satisfazer sexualmente um homem – o que não acontece com alguns homens que não hesitam em admitir sua inaptidão para satisfazer uma mulher, isto é, levá-la ao orgasmo. Por outro lado, poucos homens se sentem usados quando praticam o sexo com uma mulher. Eles não conseguem fazer sexo sem um forte desejo, manifestado numa ereção; já as mulheres podem entregar-se ao sexo com sentimentos mínimos. O corpo de ambos é diferente. O da mulher tende a ser mais macio e, em consequência disso, elas são propensas a uma relação mais intimista com os próprios sentimentos. Porém, isso parece estar mudando, já que hoje as mulheres se equiparam aos homens nas academias de ginástica, em exercícios de musculação etc. Como elas procuram apresentar uma imagem de força e poder, tornam-se rígidas, menos sensíveis e mais narcisistas. O mundo unissex é um mundo sem diferenças e, portanto, sem sentimentos.

De modo geral, o grau de narcisismo é inversamente proporcional à potência sexual. Mas, para compreendermos essa afirmação, devemos reconhecer, repetimos, o vínculo entre potência sexual e sentimento. Para o homem, a potência sexual não é medida pela frequência de atividade sexual ou por sua potência efetiva. A atividade sexual frequente pode ser compulsiva, decorrente de uma necessidade de reafirmação, ou impulsiva, resultando da incapacidade de excitação sexual. A potência efetiva – capacidade de manter a ereção por um longo período durante o ato sexual – pode ser uma manobra de poder. Com efeito, o homem pode dizer à mulher na linguagem corporal: "Veja como sou poderoso. Veja o que posso fazer por você". Seu enfoque recai sobre o poder, representado por sua capacidade de satisfazer uma mulher. Lamentavelmente, esse enfoque se dá às custas do próprio prazer e da própria realização. O que isso indica é a necessidade tipicamente narcisista de aprovação e admiração. Em última instância, a mulher sequer é saciada. A verdadeira potência sexual é medida pela profundidade do amor de uma pessoa pela outra. Tais sentimentos acham-se grandemente reduzidos nos narcisistas.

A RELAÇÃO COM A INVEJA E A CÓLERA

Como vimos, a identificação simbólica do poder com a potência sexual sublinha a grande sedução do poder. Essa identificação permite-nos compreender um certo número de reações ao poder. Por exemplo: por que aqueles que fazem esse jogo nunca parecem sentir que têm suficiente poder? Para responder a essa pergunta, devemos reconhecer que, embora a identificação seja válida no nível do ego, é uma ilusão em nível corporal. O poder pode insuflar energia à imagem, mas nada faz pelo *self* e pelos sentimentos. De fato, como já vimos, o superinvestimento na imagem enfraquece o *self*. Pelo mesmo princípio, o superinvestimento de energia na luta pelo poder reduz a quantidade disponível para o prazer sexual. Equivocada acerca da verdadeira fonte de potência sexual, a pessoa busca mais poder.

A equiparação de poder e potência sexual também elucida por que a falta de poder é vivenciada como humilhação. Em algum nível da personalidade, a sensação de impotência equivale a ser castrado, para usar a analogia masculina. É comum que uma pessoa cujo poder é ameaçado reaja a essa ameaça como se fosse um indício de castração. Inveja e cólera podem estar relacionadas com essa ideia.

Um importante aspecto da natureza do poder é a inveja que suscita nos outros. Ele parece conferir ao seu detentor um manto de superioridade, excepcionalidade e potência sexual, o que o invejoso desesperadamente quer porque, em algum nível, se sente inferior, sem importância e impotente. O poder suscita inveja, cria medo e leva à hostilidade. Tendemos a não confiar nos poderosos, porque nos sentimos vulneráveis em face do poder. Por outro lado, o poderoso deve desconfiar de quem dele carece, por causa da inveja. Quando o poder é grande, a pessoa pode facilmente tornar-se paranoide. O aforismo "inquieta está a cabeça que ostenta a coroa" reflete uma antiga sabedoria. Toda pessoa com poder é vulnerável às maquinações dos que o desejam. A história está repleta de conspirações para derrubar governantes. Estes devem estar sempre em alerta para esse perigo. Nunca podem ter certeza absoluta de quem são os seus amigos.

Inveja não é amor. O poderoso é temido e, portanto, não pode ser amado. É verdade que, por vezes, as pessoas fingem amar aquelas de quem têm medo e podem até acreditar que as amam, mas tal amor quase sempre se baseia numa negação do medo e do rancor subjacentes. Os meus pacientes, por exemplo, afirmam amar seus pais no início da terapia. Depois, quando

Narcisismo

concluem até que ponto um dos pais os aterrorizava, esse sentimento desaparece, sendo substituído pela cólera. As emoções de amor e medo excluem-se mutuamente. Não devemos temer uma pessoa com poder, mas sim amá-la, o que significa negar que ela tenha poder. A emoção correlacionada com o medo é a cólera. Mas os narcisistas são tão incapazes de expressar ou sentir cólera quanto qualquer outro sentimento. É verdade que os narcisistas podem entregar-se a acessos de cólera – e por vezes o fazem. Com efeito, poder-se-ia dizer que uma tendência para acessos de cólera é característica desse distúrbio.

Cólera não é sinônimo de raiva? Embora haja um forte elemento de raiva numa explosão de cólera, as duas expressões não são idênticas. A cólera é irracional – basta pensarmos na frase "cólera cega". A raiva, em contraste, é uma reação focalizada, dirigida especificamente para a remoção de uma força que está agindo contra a pessoa. Quando a força é removida ou anulada, a raiva diminui. Um bom exemplo é a raiva que as crianças sentem quando seus movimentos são reprimidos pela força. Assim que elas são soltas, sua raiva desaparece. Como adultos, podemos ficar com raiva por afrontas semelhantes ao nosso ser. Mas a verdadeira raiva permanece proporcional à provocação; é uma reação racional a um ataque. Assim, um insulto verbal não redunda de imediato numa troca de socos, e a raiva passa após um pedido de desculpas. Com uma agressão física, poderemos querer revidar à injúria, mas a gravidade dessa reação é medida pelo grau de perigo real.

A cólera, entretanto, não se alinha com a provocação: é excessiva. Nem declina com a remoção da provocação: continua até se consumir. E a cólera é mais destrutiva do que construtiva. Na verdade, ela está impregnada de um intento homicida. Um dos pacientes de James Masterson fornece uma pista para o significado de um acesso de cólera. Nas palavras desse paciente: "Renunciar à ideia de você e outros fazerem isso por mim deixa-me irremediavelmente perdido, desamparado e encolerizado"[29]. Depois, falou do desejo de matar: "Quando eu mesmo tenho de fazer isso, sinto-me frustrado e quero matar".

A incongruência da reação faz suspeitar que a verdadeira motivação para o intento homicida foi um insulto ou dano muito mais sério que teria ocorrido anteriormente, talvez na infância, e foi então reprimido. Se a repressão fosse eliminada e o dano se tornasse consciente, a reação mudaria da cólera para a raiva. Essa é a tarefa terapêutica.

É significativo que uma explosão de cólera narcisista esteja intimamente vinculada à experiência de frustração, de não ser capaz de se impor na vida; em outras palavras, de sentir-se impotente. Para o paciente de Masterson, a frustração de não ser capaz de levar os outros a fazer as coisas para ele culminou na reação de cólera. Outra de suas pacientes, por sua vez, enfureceu-se porque ele não correspondeu ao desejo dela de ser tratada como alguém muito especial. A frustração faz a pessoa sentir-se impotente e sublinha a ilusão de poder associada a "ser especial". Quando a ilusão desmorona, a cólera associada à traição inicial – um insulto mais significativo ocorrido cedo na infância, ao qual a pessoa não pôde reagir na época – vem à tona como a erupção de um vulcão. Mas, como está apartada da compreensão de sua verdadeira origem, ou, em outras palavras, como é uma cólera cega, é ineficaz como remédio para o dano.

Por que se dá a essa reação o nome de cólera narcisista? Reconhecendo a característica perversa de todas essas reações, podemos postular que o insulto que provocou a reação deve ferir uma linha vital. A provocação atual pode ser ligeira, como no caso dos pacientes de Masterson, mas ela suscita no inconsciente do indivíduo a lembrança de um insulto anterior a que ele não pôde reagir quando ocorreu. Descrever a cólera como narcisista significa que o insulto dirigiu-se à percepção de *self* da pessoa, que foi um golpe narcisista. A experiência foi de humilhação, de impotência.

Como já vimos, essa experiência de humilhação está subentendida na luta dos narcisistas pela aquisição de poder. Eles acreditam que, obtendo-o, será possível eliminar o insulto. Qualquer desafio ao poder ou à imagem deles ameaça fazê-los sentir-se impotentes e gera o medo de humilhação. O paciente de Masterson disse que se sentia "irremediavelmente perdido, desamparado". É difícil entender como tais sentimentos podem fazer alguém entregar-se a um acesso de cólera. Seria mais provável que levassem a um sentimento de desespero. Mas, se mudarmos as palavras desse paciente para "sentir-se impotente", sua reação fará sentido. À semelhança de tantos pacientes narcisistas, ele estava empenhado numa luta pelo poder com o seu terapeuta e acreditava ter o domínio da situação. O choque que sofreu ao descobrir que era de fato impotente deflagrou um acesso de cólera que era, ao mesmo tempo, irracional e homicida.

O CASO DE DAVID

Um de meus pacientes, David, começou por descrever sua reação de cólera quando seu filho persistiu numa ação que ele lhe dissera para não fazer. O garoto continuou pulando na cama onde seu pai e o irmão caçula estavam deitados. David temia que os pulos do menino acabassem machucando a criança. David não achava que fosse errado ordenar ao filho que parasse com aquilo. O que o incomodava era o reconhecimento de que sua reação colérica tinha sido excessiva. Como ele explicou: "Dei-me conta da enormidade da minha cólera quando vi a expressão de medo estampada no rosto do meu filho. Pensei que ele temia que eu pudesse matá-lo e senti que havia uma característica homicida em meu tom de voz e em meu olhar".

David estava consciente de que sua reação colérica tinha sido deflagrada pela desobediência do filho, o que o fez sentir-se frustrado. Era como se a desobediência do garoto fosse um desafio ao seu poder. Mas por que ele reagiu de forma tão veemente? Qual foi a verdadeira fonte de sua cólera? Disse ele: "Percebi estar fazendo com meu filho o que meu pai fizera comigo. Fui um garoto assustado e até recentemente neguei que tivesse medo. Tive momentos de pavor. Na faculdade, fui da equipe de luta livre e estava sempre com medo antes de um combate. Receava não ser suficientemente forte, suficientemente poderoso. Temia perder, mas sempre ganhei".

Em algum nível, vencer ou perder denotava vida ou morte. Cada luta era como uma batalha na guerra. Depois, David acrescentou: "Perdi uma luta, nas finais do torneio estadual. Podia ter sido o campeão, mas faltou-me o instinto homicida". Mas David é realmente um matador. Sua cólera tem contornos homicidas. Justamente porque é, de fato, capaz de matar, ele não se atreve a fazer um esforço total, pois isso poderia redundar em homicídio de verdade. Ele não tem o instinto homicida, como se expressou, porque tem o intento homicida.

David refletiu, depois, a respeito de sua preocupação com a vitória: "Sou atleta e preciso vencer. Quando assisto a uma competição esportiva, torço pelo mais fraco, pois ele tem de ganhar. Tenho um grande medo de perder. Perder seria o fracasso, a morte. Se não tenho poder, estou morto. Necessito dele. Passo a vida opondo meu poder ao dos outros. Se eles ganham, estou morto – isso é apenas um sentimento, não a realidade. Entretanto, terminei minha carreira de lutador com a sensação de que desapontei os meus treinadores e a mim mesmo. Se tivesse me empenhado a sério, poderia ter sido campeão nacional ou universitário. O esporte era para mim uma luta de vida ou morte. Eu tinha medo de perder". Era óbvio que David estava lutando contra si mesmo. Em nível emocional – interior – ele estava apavorado. Contudo, no nível do ego – em termos de aparência exterior – ele era forte e poderoso. Essa era a imagem que ele projetava com seu corpo musculoso e sua carreira bem-sucedida como cirurgião. David operava em casos que poderiam assustar outros colegas. Ele negava quaisquer temores e transpirava autoconfiança.

David tinha desenvolvido essa imagem durante a mocidade. Explicou que tentara ser o tipo de garoto que um pai amaria, um filho modelo – inteligente, atlético, bonito, bem-comportado. Mas ele se sentia assim? O que estava acontecendo em seu íntimo?

"Quando garoto, fui muito medroso", confessou David. "Tinha medo do escuro e de ficar sozinho. Era incapaz de dormir a menos que meu irmão ficasse na cama comigo. Ainda sou assim. Não suporto ficar sozinho por mais de 15 minutos."

Quando perguntei a ele o que o assustara em criança, não soube responder. Mas depois mencionou que seu pai costumava bater-lhe com uma cinta e a mãe com um sapato. Conforme recordou então: "Eu costumava ter pesadelos, e o meu pai me esbofeteava para me acordar. Mandavam-me para o quarto e eu queria me matar para ficarmos quites. Nunca reconheci o meu medo até este ano. Agora, meus sonhos são cheios de pavor. Temo as mulheres e o sexo. Receio não ser capaz de bom desempenho. Antes nunca reconheci esse temor. O que mais me assusta é quando não tenho o controle de uma situação. A doença me apavora".

Masterson explica a tendência autodestrutiva associada à cólera (o desejo de David de se matar em vez de matar seu pai) como uma "tentativa de dominá-la (à cólera), internalizando-a mediante o uso do mecanismo de identificação com o agressor [...] Ele dá vazão à cólera atacando a si mesmo, fantasiando a vingança contra os pais e satisfazendo seus impulsos taliônicos pela destruição do patrimônio deles"[30]. Embora isso seja psicologicamente verdadeiro, considero uma explicação superficial. O comportamento autodestrutivo é sempre determinado por um sentimento subjacente de culpa, a qual advém da situação edipiana. David pode aceitar o desejo de matar o pai em retaliação pela surra que recebeu dele, mas matar o pai é uma confissão de desejo sexual pela mãe, e essa confissão está subordinada a um forte tabu contra o incesto. Em consequência desse sentimento de culpa, ele identificou--se com o pai. Mas agora ele é um pai real, o que lhe permite projetar sobre o filho os sentimentos sexuais proibidos. Reage inconscientemente à desobediência do filho como se isso constituísse uma ameaça para matar o pai, a qual deve ser enfrentada por um ataque na mesma moeda.

Nesse ponto, David comentou: "No meu trabalho sinto-me poderoso. Sou de uma impassibilidade de pedra. Seria preciso uma tragédia para me despertar um sentimento profundo".

O relato de David revela claramente o papel que o poder desempenha na compensação de sentimentos íntimos de medo, humilhação e desamparo. Entretanto, ele não tinha ligado completamente o próprio medo ao pai, embora reconhecesse que os filhos reagem com grande medo à cólera dos pais. Para um pai, encolerizar-se com uma criança é desumano. Mas os sentimentos humanitários são estranhos ao narcisista. David disse de si mesmo: "Posso ser um herói ou um covarde. Não conheço meios-termos". O meio-termo é ser humano, o que significa aceitar o desamparo diante da vida, reconhecer a dependência em relação aos outros e admitir os próprios erros e fracassos.

O MEDO DO DESAMPARO

O poder só pode ser enfrentado com poder, de modo que a batalha torna-se interminável. Não significa nada, para a pessoa destituída de poder, exigir poder igual. Poder semelhante é algo que não existe. Se todos dispuséssemos de igual poder, ninguém controlaria ninguém. Isso significa que não existiria poder real. Quando se pensa em poder, existe apenas a luta por mais poder. Ninguém jamais tem poder suficiente. O poder não derrotará a inferioridade de um indivíduo, não aliviará o sentimento íntimo de humilhação nem fornecerá potência orgástica. Ele serve apenas para negar esses sentimentos. Por sua própria natureza, portanto, o poder aumenta o narcisismo do indivíduo e reforça sua insegurança subjacente.

Em muitos aspectos, o poder é uma negação da humanidade da pessoa. Como vimos, por meio do poder, o narcisista procura transcender sentimentos de desamparo e dependência. Mas não constitui certo desamparo uma parte da condição humana? Não pedimos para nascer e, de modo geral, não sabemos quando morreremos. Não podemos escolher por quem nos apaixonamos. Existem muitos casos em que não somos os senhores de nosso destino. No entanto, nosso desamparo nessas áreas é tolerável porque todos os seres humanos estão no mesmo barco. E precisamos uns dos outros para enfrentar a escuridão, afugentar o frio, conferir significado à existência. Os seres humanos são criaturas sociais. É com outras pessoas que encontramos o calor, a excitação e o desafio da vida. E somente no seio da comunidade humana nos atrevemos a enfrentar o assustador desconhecido.

Os narcisistas não são exceção a essa necessidade humana. Também eles precisam das pessoas. Mas não se atrevem a reconhecer essa necessidade. Fazê-lo é admitir e enfrentar sua vulnerabilidade. Pedir ajuda seria abrir a ferida narcisista sofrida em criança – quando, desamparada e dependente, ela era usada pelos pais que detinham o poder. Estar em necessidade e desamparado parece permitir que outros controlem o destino do indivíduo. Como este se encontra indefeso e tem necessidades – apesar de negá-las –, descobre a solução na obtenção de poder (dinheiro, por exemplo) suficiente a fim de comprar o que necessita ou disso dispor sem correr o risco de rejeição ou sedução.

O poder – pelo menos, o narcisista pensa assim – permite-lhe ganhar contato humano sem o perigo de ser usado. Com o poder, a pessoa pode atrair outras. Para o caráter narcisista menos perturbado, o poder assenta no uso de seu charme, inteligência e boa aparência para atrair os admiradores. As personalidades psicopáticas, por outro lado, tendem a usar o poder da riqueza ou da posição para reunir seguidores, ou são abertamente sedutoras. Sabem muitíssimo bem manipular os medos e fraquezas alheios, pois os outros também têm esses medos. Assim, prometem e proclamam que serão a luz e a segurança que as outras pessoas buscam. Em sua mente, destacam-se como seres superiores, acreditando não necessitar de ninguém. E parecem, com frequência, superiores, porque as ansiedades humanas não as atingem. Seres humanos desesperados, assustados e perdidos voltam-se para elas como salvadores. Não demonstraram estar acima da luta humana? Mas, ainda que a personalidade psicopática não adquira um rebanho de seguidores, precisa ter ao menos um devoto, nem que seja um amante ou uma prostituta. Em outras palavras, as personalidades psicopáticas devem ter alguém que necessite delas. Não podem estar sós. E, quando em um relacionamento, elas precisam estar no controle.

A questão de poder e controle também faz parte da situação terapêutica. Nenhuma mudança básica na personalidade ou no caráter pode ocorrer se o paciente estiver no controle da terapia. Mas a maioria dos pacientes narcisistas fica aterrorizada ante a perspectiva de ceder. Eles não confiam inteiramente no terapeuta – e, dadas as experiências dos primeiros anos de vida, isso é compreensível. Temem ser usados, tal como foram em suas famílias. Veem o terapeuta como detentor do poder, do qual se ressentem e ao qual resistem. Isso é, claro, um problema de transferência. Por muito que necessitem de ajuda, não conseguem aceitar totalmente sua dependência de outrem para ajudá-los a mudar sua situação. Ser impotente é humilhante demais. É preciso manter-se no controle.

O controle é mantido mediante a negação e a supressão do sentimento. Na verdade, o esforço terapêutico visa ajudar os pacientes a libertar e aceitar seus sentimentos. Isso significa que eles têm de aprender a renunciar ao controle. Devem aprender a deixar que sentimentos e emoções os comovam, permitindo-lhes até ser arrebatados por suas reações emocionais; caso contrário, nunca conhecerão a glória do amor e a exuberância da alegria. Mas eis o dilema: é justamente esse medo de ser tomado pelo sentimento que assusta o narcisista. Gera um medo de insanidade, contra o qual mobilizará todas as suas defesas. Na cabeça dele, perder o controle de si mesmo é sinônimo de enlouquecer.

Porém, antes de examinarmos esse aspecto do problema narcisista, cumpre-nos examinar em maior detalhe o processo sedutor que produz nos narcisistas uma sensação de traição. Ser rejeitado ou abertamente magoado suscita raiva, mas ser traído por uma falsa promessa de uma pessoa em quem se confia provoca a cólera homicida.

5. Sedução e manipulação

Os narcisistas necessitam claramente de poder para inflar sua autoimagem, a qual, sem ele, murcharia como um balão vazio. Mas como uma pessoa desenvolve tal imagem grandiosa de si mesma? Já descartei a hipótese de que se trate de remanescência do estado de narcisismo primário ou de onipotência infantil. As crianças pequenas são isentas de astúcia (a inocência dos bebês) e reagem espontaneamente, baseadas nas necessidades do *self* corporal. O que acontece para destruir essa inocência – e, ainda mais, para privar a pessoa do seu *self* corporal e colocá-la na posição especial de sentir-se superior? A sequência de fatos obedece a uma ordem definida. Em primeiro lugar, ocorre a experiência humilhante da impotência (veja o Capítulo 4). Depois vem o processo de sedução, pelo qual se faz que a criança se veja como muito especial. Um componente adicional, que em geral acompanha a humilhação, é a rejeição. Depois de ser rejeitada e humilhada, a criança é mais facilmente seduzida para servir aos pais.

O que entendo por sedução? A palavra "sedução" deriva do latim *seducere*, "desviar", "afastar", "desencaminhar". Falamos de pessoas que são seduzidas a abandonar sua fé, seus princípios ou sua fidelidade. São desviadas do caminho estreito e reto da virtude, o qual significa, em última instância, ser fiel a si mesmas, aos seus sentimentos mais profundos. Descrevemos um homem como tendo seduzido uma mulher se, sabendo que é contra os princípios dela se entregar à prática sexual sem amor, ele a atrai para uma relação sexual fingindo um amor que não sente. Obviamente, o homem não precisa seduzir a mulher que simplesmente desejou uma relação sexual com ou sem amor. Portanto, a sedução pode ser definida como o uso de uma falsa afirmação ou promessa para levar outra pessoa a fazer o que, caso contrário, não faria. A promessa pode ser explicitamente formulada ou apenas insinuada. Os vigaristas psicopáticos prometem abertamente algo que não têm a intenção de dar. Mas as manobras mais sedutoras envolvem promessas que não são claramente formuladas. A imagem narcisista é um exemplo. Se atentarmos para o "macho", com sua exagerada manifestação de virilidade, percebemos que ele está sendo sedutor, quer o admita ou não. Embora a sua imagem se origine para compensar um senso inadequado do seu *self* masculino, ela pretende atrair mulheres. Ao enfatizar a força "máscula", essa imagem sugere potência sexual, acenando assim às mulheres com uma promessa de satisfação sexual. Mas a promessa é falsa, como vimos, porque a imagem contradiz a realidade. Qualquer homem que dependa de uma imagem para atrair uma mulher não é sexualmente potente.

Um elemento importante no processo de sedução é a natureza da relação em que ele se manifesta. A sedução não é uma transação comercial em que ambas as partes são iguais e se aplica a regra de correr riscos. Um negócio realizado com esperteza não é considerado fraude ou sedução. A sedução só ocorre em relações nas quais existe certo grau de confiança. Os vigaristas são considerados artistas consumados porque, primeiro, conquistam a confiança de suas vítimas. Para desencaminhar alguém, é preciso levá-lo antes a confiar. A sedução, portanto, é sempre uma traição. E essa traição é muito mais perniciosa na relação entre pais e filhos, na qual a confiança é fundamental.

A FORMAÇÃO DO PRÍNCIPE ENCANTADO

Steven, um jovem que conheci, projetava uma imagem de si mesmo como "Príncipe Encantado". Seu charme era acionado automaticamente sempre que estava na companhia de uma mulher. Seu belo rosto arvorava um sorriso fácil e seu espírito aguçado expressava-se em ditos e réplicas cativantes. Em contrapartida, quando seu charme era desligado, ele tinha uma aparência abatida e podia-se pressentir que estava inseguro e assustado. Lamentavelmente, se uma jovem reagia aos seus encantos, acreditando que Steven oferecia a promessa de uma relação excitante, era tristemente desapontada. As maneiras cativantes dele dissipavam-se assim que a sedução terminava, mesmo que fosse bem-sucedida. Ele não tinha a energia suficiente para manter a fachada por muito tempo.

O charme de Steven não servia apenas a interesses sexuais. Usava-o também para fazer amigos, impressionar pessoas e levá-las a apoiá-lo. Com essa imagem, negava a sua dependência e, ao mesmo tempo, convencia os outros a colocar-se à sua disposição para o que fosse. Era um jogo de poder, como todas as manobras de sedução.

Narcisismo

O ar de Príncipe Encantado era uma pose que Steven adotara. Não havia nada de inato nele. Como eu conhecia a família, tive oportunidade de observar o desenvolvimento desse papel nas interações de Steven com seus pais, quando menino. Em sua infância, vi que, quando desempenhava o papel de Príncipe Encantado, sua mãe lhe sorria. Isso lhe dava prazer e a excitava – obviamente, ele era o seu Príncipe Encantado. O pai, por outro lado, parecia envergonhar-se do comportamento do menino e ralhava com ele. Para mim, era evidente que o pai de Steven se irritava com o relacionamento especial que o filho tinha com a mãe.

Uma situação como essa só se desenvolve quando o relacionamento entre os pais é insatisfatório. Querendo algo que o marido não pode dar, a mãe volta-se para o filho em busca disso. Eu diria que esse algo era a emoção do romance. Essa é a promessa que o Príncipe Encantado faz, embora não possa cumpri-la. Mas que incentivo a mãe oferece a seu filho para levá-lo a desempenhar esse papel para ela?

O incentivo é a oferta de uma relação especial com a mãe, contendo uma promessa de estreita intimidade. Para a criança, a promessa de intimidade é particularmente irresistível, porquanto estivera privado dela nos primeiros anos de vida. Se sua mãe tivesse estado à disposição dele, agora não se mostraria tão disposto a fazer um trato em que o *self* seria sacrificado em troca de uma promessa. Mas, tendo sido rejeitado antes, o rapaz estava agora ansioso por aceitar a transação. E o *timing* do "agora" é importante. A promessa é feita quando o menino tem entre os 3 e 6 anos – com suficiente idade para compreender o que lhe é solicitado, mas não suficientemente independente para conseguir dizer não. Ademais, é o período edipiano, quando o interesse da criança no genitor do sexo oposto é fortemente sexual. A intimidade oferecida assume uma nuança sexual. Na realidade, pode ser consentido ao rapaz ver a mãe vestir-se ou até ajudá-la em sua toalete. Ela pode partilhar com ele seus sentimentos e pensamentos íntimos, tratando o menino como confidente. A mãe tem diversas maneiras sutis de excitar o filho sexualmente e dessa forma prendê-lo a si. O vínculo torna-se ainda mais forte se lhe for inculcado o sentimento de culpa por sua receptividade.

A ideia de estar numa relação especial com a mãe tem muitos significados para o menino. (E tudo que digo aqui acerca da relação especial do garoto com a mãe aplica-se geralmente à menina em sua relação especial com o pai.) Implica ser sempre o preferido. No caso de Steven, significava: "Minha

95

mãe me ama mais do que ao meu irmão e a meu pai. Portanto, sou superior a eles". Diante disso, o rapaz também presente que a mãe tem necessidade dele. Que sensação de importância isso deve propiciar a uma criança! Como não desenvolver uma autoimagem grandiosa nessas condições? Quem quereria evitar a ilusão de poder (ser o único que pode satisfazer plenamente a um dos pais) que a situação proporciona?

Peter, um dos meus pacientes, ouvia a mãe dizer repetidamente, quando pequeno, que ele era filho de Deus. Tratava-se de uma mulher muito religiosa e rigorosa. Se Peter proferisse uma palavra "suja", sua boca era lavada com sabão. Por um lado, não se lhe poupava a humilhação; por outro, tudo contribuía para que ele se sentisse especial. Peter era um moço bonito, mas eu pressentia nele uma angústia, um sentimento de martírio, que eu associava à crucificação e à agonia de Cristo. Por vezes, seu rosto assumia uma expressão de sofrimento e resignação que lembrava o de Jesus. E, de fato, ele sofria – de um distúrbio narcisista. Peter era deprimido e insensível; sua potência sexual era reduzida. Felizmente, com nosso trabalho, Peter reconheceu até que ponto tinha sido levado a sentir-se especial. Pôde chorar e sentir a tristeza da perda do *self*. E, depois de prantear essa perda, sua expressão sofrida transformou-se em vivacidade e presença. Era quase como se tivesse regressado do mundo dos mortos. Tal como interpretei o caso, sua mãe necessitara que o filho fosse como um Cristo, de modo que ela pudesse elevar a própria sexualidade a um nível espiritual. Nesse processo, a sexualidade de Peter foi sacrificada.

O SIGNIFICADO DE SER ESPECIAL

A promessa de ser único é o estratagema sedutor usado pelo pai (ou pela mãe) para moldar a criança segundo a imagem que ele (ou ela) faz do que o filho deve ser. Na maioria dos casos, a promessa não é explícita, estando implícita na atitude parental para com a criança, o que esta claramente pressente.

Na cultura americana, a maioria dos pais quer ou parece necessitar algo de seus filhos. Para alguns pais, o filho tem de ser bem-sucedido na vida, muitas vezes a fim de compensar o próprio sentimento de fracasso deles. Para outros, o filho deve ser ilustre, realizar algo que conquiste o reconhecimento geral e os faça sentir-se importantes. Com demasiada frequência, voltam-se para os filhos em busca da afeição e do apoio que não receberam dos próprios pais e não estão recebendo do cônjuge. Também parece que muitos pais sentem necessidade de ser superiores aos filhos – para compensar a inferioridade que sentiram quando eram jovens e da qual ainda sofrem inconscientemente. Os pais tendem a identificar-se com os filhos e a projetar neles seus anseios e desejos não realizados.

Já os filhos querem ser livres – livres para crescer de acordo com sua natureza. Esperam que os pais estejam presentes para ajudá-los, não o inverso. Quando os pais fazem exigências à criança e a criança faz exigências aos pais, desenvolve-se rapidamente uma situação de conflito. No Capítulo 4, vimos como esse conflito se converte numa luta de poder entre pais e filhos. Os pais têm suficiente força física para dobrar a vontade de uma criança e muitos tiram proveito desse "poder". Mas essa tática gera também hostilidade e uma rebelião surda, subjacente, na criança, que acabará por derrotar os pais. Na realidade, a mais potente arma parental é a rejeição ou a ameaça de rejeição. Como as crianças são completamente dependentes dos pais, não conseguem resistir a tal ameaça. E, é claro, existe a sedução, tática que em geral surge mais tarde, quando o ego da criança se desenvolveu a um ponto em que ela já compreende o acordo.

Segundo esse acordo, repito, a criança será tratada ou vista como "especial" caso se submeta aos pais (ou a um deles). Todo indivíduo narcisista que conheci "sente-se" especial. Coloquei a palavra "sente-se" entre aspas porque não se trata de uma sensação corporal, mas de uma construção mental. Por conseguinte, é mais uma questão de crença ou pensamento do que de sentimento. Não obstante, a pessoa que "se sente" superior traduz isso para o nível do corpo, dissociando o ego do corpo e sentindo-se acima deste.

Ser especial empresta colorido à imagem, levando-a para além da faixa de "trivialidade". Contudo, os valores associados a essa imagem são ilusórios; não existe superioridade nem força real numa imagem. As virtudes reais residem no ser interior, na humanidade da pessoa, não em sua imagem. Nada há de especial em ser humano; é a condição comum, senão média, das pessoas. E veremos, quando compararmos as qualidades associadas a ser especial e à trivialidade, que as vantagens reais residem na segunda condição.

Comecemos por explicar o que se entende por ser especial. Sempre faço essa pergunta aos meus pacientes narcisistas. Cada um deles tem uma imagem única e incomparável de si. Uma mulher disse: "Sempre achei que fosse especial. Disseram-me que eu poderia realizar qualquer coisa que quisesse se o tentasse com perseverança, e acreditei nisso. Não é esse o *American way?*" Depois, acrescentou: "Consegui concretizar muitas de minhas ambições, mas isso não aconteceu na área vital do amor e do sexo." Outra paciente declarou: "Isso quer dizer que as pessoas me apontarão e olharão para mim. Elas me admirarão". Um psiquiatra respondeu: "Para mim, ser especial significa conhecer todos os segredos da vida das pessoas. Sento-me nos bastidores, como um diretor ou produtor, sabendo tudo que vai acontecer em cena". No musical *The Fantasticks*, a ingênua protagonista canta uma canção a respeito de seu desejo de ser "especial". Ela não explica o que quer dizer com isso, mas pode-se imaginar que ser "especial" representa sua vontade de ser adorada, de ser venerada como uma deusa.

Quais são as qualidades destacadas por essas pessoas? Uma lista simples inclui: 1) "Posso fazer qualquer coisa" (onipotência); 2) "Sou notado em toda parte" (onipresença); 3) "Eu sei tudo" (onisciência) e 4) "Existo para ser adorado". Esses são, é claro, os atributos de um deus. Em algum nível profundo, os narcisistas e, sobretudo, as personalidades psicopáticas, veem-se como pequenos deuses. Com excessiva frequência, lamentavelmente, seus seguidores também os veem assim.

Mas como pode alguém chegar a pensar que é um deus? Como já indiquei, o fato de se sentir especial denota uma relação ímpar com um dos pais, uma relação de maior intimidade. À criança é permitido compartilhar alguns problemas e desejos de um dos pais. Pode haver também mais intimidade física – por exemplo, coçar as costas do pai ou ajudar a mãe a vestir-se. A intimidade oferecida e a ideia de ser especial são muito atraentes para uma criança que se sentiu rejeitada, mesmo que essa intimidade requeira mudar-se para o mundo de um dos pais e renunciar à própria liberdade. A rejeição é uma situação intolerável para uma criança. Em si mesmo, o anseio de amor frustrado é extremamente penoso. O sentimento consequente de ser indigno de amor e a conclusão de que isso deve ser causado por alguma falta ou deficiência são devastadores. Ela não vê outra saída para essa posição impossível senão aceitar a ideia de ser especial e a intimidade. A aceitação corresponde a uma quase total identificação com o genitor rejeitante – uma identificação que representa a fusão da imagem do *self* com a imagem parental, tal como é concebida pelos autores psicanalistas. Trata-se, porém, de um desenvolvimento secundário derivado de algum tipo de separação. O seu efeito ergue a alturas anormais o ego da criança, inflando-o a tal ponto que parece sobre-humano. Como os pais são como deuses para as crianças pequenas, essa fusão de imagens dota o ego infantil de uma característica semelhante.

Esse tipo de identificação com um dos pais divide a identidade da criança. Por meio dela, a criança incorpora indiscriminadamente os valores parentais e desenvolve uma imagem do *self* para refleti-los. Ao mesmo tempo, rejeita o *self* que um dos pais considera repreensível – ou seja, os sentimentos corporais e o desejo de ser independente. Nesse processo, os valores parentais tornam-se superiores àqueles associados ao corpo e a seus sentimentos. Ser especial é, portanto, ser superior ao próprio *self* corporal. A criança passa a acreditar que o que um dos pais rejeitou foi somente sua natureza "inferior". Essa ilusão atenua a dor, que é então negada. A nova imagem do *self* da criança adquire *status* como expressão de sua natureza "superior".

Obviamente, as naturezas "superior" e "inferior" referem-se à mente e ao corpo, respectivamente. Essas crianças dizem a si mesmas: "Somente meu corpo e seus sentimentos foram rejeitados". Com a mente, concluem elas, será possível transcender essa forma inferior de ser e tornar-se pessoas superiores, como o pai ou a mãe. Com a mente, podem adquirir o controle e suprimir esses sentimentos que são inaceitáveis e causam sofrimento. Assim, elas suprimem e negam o desapontamento com a rejeição das necessidades corporais, o medo do pai ou da mãe, a ira pelo uso anterior de força e a tristeza e o desespero em face da perda do amor verdadeiro. Com a nova imagem do *self*, compensam o sentimento de não ser amadas ou de ser indignas do amor que elas haviam previamente experienciado.

Ser superior é estar acima do corpo e de sua natureza "inferior". Em termos energéticos, a pessoa ou o *self* está na cabeça e não no corpo. A energia ou libido é investida no ego e concentra-se na imagem que a pessoa está projetando. "Sentir-se" especial e superior, imaginar-se acima do corpo e repudiar ou negar o sentimento compõem a atitude caracterológica do narcisista.

A negação de sentimento aplica-se sobretudo aos sentimentos sexuais. A natureza "inferior" refere-se diretamente à parte inferior do corpo e a suas funções. Defecação, micção e sexualidade são estigmatizadas como sujas. Em minha opinião, com frequência o repúdio origina-se da rejeição, pela mãe, do próprio corpo e da natureza animal deste, a qual se estende ao corpo do filho. A meu ver, essa rejeição manifesta-se quando a mãe recusa-se a amamentar – o que ajuda a estabelecer o vínculo entre a mãe e o bebê numa relação naturalmente íntima. A amamentação ao peito pode, de forma inconsciente, ser considerada por algumas mulheres demasiado sexual e, portanto, suja. Tais mulheres sentem vergonha de ser vistas amamentando.

Porém, o fato de repudiar o sentimento sexual não significa que ele desapareça. Embora a relação entre pais sedutores e seus filhos possa ser não sexual ou até antissexual na superfície, a intimidade que se desenvolve entre eles tem matiz sexual.

O CASO DE MARTHA

Martha beirava os 40 anos quando me consultou por causa de uma ausência de sentimento. Descreveu uma espécie de embotamento que a fazia sentir-se estranha, algo irreal. Entretanto, um observador poderia ter tido dificuldade em ver seu embotamento ou estranheza. Ela parecia agir como uma pessoa normal e não aparentava depressão. Tinha um bom emprego e o convívio com o chefe e os colegas era razoavelmente bom. Fora do trabalho, tinha pouco contato com eles. Na verdade, à parte o emprego, queixava-se de que sua vida era vazia. Não tinha relacionamentos com homens nem nenhum desejo de tê-los. E como ter intimidade com mulheres quando a conversa delas se encaminhava para homens? O tema era um mundo alheio ao dela. Na presença de outras mulheres, portanto, ela sentia sua estranheza. Assim, ia para o trabalho, voltava para casa, cuidava de suas necessidades e preparava-se para o trabalho do dia seguinte. Martha sentia o vazio da própria vida, mas disse não ter energia para nenhuma outra coisa.

Como assinalei, não era fácil ver o embotamento de Martha – pelo menos à primeira vista. Ele era encoberto por um comportamento aparentemente vivaz. Martha sorria, ria e tagarelava como se tudo estivesse perfeito. Não chorava nem mostrava tristeza ou qualquer outro sentimento.

Enquanto trabalhávamos, ela desenvolveu um sentimento muito positivo por mim. Afirmou que isso acontecia porque eu era capaz de ver seu embotamento, sentir o vazio de sua vida e manifestar empatia por sua tristeza inexpressa. Em sua opinião, eu era um ser humano autêntico. Além disso, por meio de nosso trabalho corporal bioenergético, Martha começou a adquirir algum sentimento no corpo, o que afetou a transferência.

Exercícios de respirar, de chutar e de *grounding* promoveram vibrações em suas pernas, as quais ela conseguiu sentir.[31] O trabalho intenso nos músculos tensos de sua garganta abriu-lhe a voz. Os músculos dos maxilares de Martha também estavam contraídos e necessitavam de considerável trabalho. Seu queixo estava fixado numa atitude de sombria determinação: *não sinta nada*. Finalmente, Martha foi capaz de chorar – um importante avanço para ela. Percebeu que precisava chorar e sempre me pedia para trabalhar em seu queixo, a fim de que conseguisse chorar. Mas esse foi o único sentimento que Martha logrou manifestar por largo tempo.

Se o choro é uma função tão básica, como a perdemos? Por que tantos pacientes têm dificuldade de chorar? O choro de um bebê é também um apelo a um dos pais, visto que, embora possa aliviar a tensão, o choro não elimina sua causa – que, na maioria dos casos, é a necessidade de contato com um dos pais. Se esse contato amoroso não ocorre de imediato, a tensão persiste e o choro continua. Existe, porém, um limite para a capacidade de chorar de uma criança. Ela pode esgotar o choro, como dizemos. Nesse ponto, não tem mais energia para sustentar o choro e, assim, para ou adormece exausta. Prosseguir para além desse ponto implicaria risco de morte, pois a criança teria de mobilizar energias que são necessárias para manter funções vitais. Essa experiência é extremamente traumática, uma vez que cria uma associação, na mente da criança, entre choro profundo e morte. Muitos de meus pacientes vivenciam essa conexão quando se permitem sentir seu desespero e choram convulsivamente do mais profundo de seu ser. Mas, para conseguir esse avanço decisivo, têm de vencer primeiro uma grande resistência inconsciente oriunda do medo da morte. Essa resistência está largamente estruturada em tensões musculares crônicas em torno da garganta, as quais impedem o soluço profundo e assim, ao que parece, servem para proteger a vida. Também se encontram graves tensões nos músculos torácicos, os quais bloqueiam o choro profundo e ajudam, de forma inconsciente, a proteger a pessoa contra a dor no coração.

Talvez pareça que o objetivo da análise bioenergética é levar os pacientes a chorar. Não é isso. Nosso intento é obter a plenitude do *self*, o que implica autoconsciência, autoexpressão e autoequilíbrio. Estar consciente do próprio *self* significa estar em pleno contato com o corpo, mas isto só é possível se a pessoa adquire *insight* sobre as motivações inconscientes do comportamento. A autoexpressão denota a capacidade de perceber e expressar todos os sentimentos, enquanto o autodomínio indica que a pessoa tem o domínio consciente dessa expressão. Toda e qualquer tensão muscular crônica bloqueia essas três funções. O trabalho corporal visa ajudar a pessoa a sentir esse bloqueio, compreendê-lo e eliminá-lo. Trata-se de um processo contínuo, dado que a descarga de tensão ocorre gradualmente, à medida que o organismo aprende a tolerar e a integrar os níveis mais elevados de excitação associada a sentimentos mais intensos. Chorar, isto é, soluçar, constitui o mais primitivo e profundo método de descarga de tensão. Os bebês podem chorar quase desde o momento do nascimento, e fazem-no com facilidade sempre que o estresse produz um estado de tensão no corpo. Em dado momento o corpo do bebê está tenso, no momento seguinte seu queixo treme e então ele se desfaz da tensão numa descarga convulsiva. Os seres humanos são as únicas criaturas que podem reagir desse modo ao estresse e à tensão. Muito provavelmente, são os únicos que necessitam dessa forma de descarga.

Devemos reconhecer, também, que os pais em geral não aceitam o choro. Irrita-os com frequência, para dizer o mínimo, sobretudo quando persiste, apesar dos esforços deles para acalmar a criança. Alguns pais acreditam que atender a uma criança que está chorando dá-lhe controle sobre eles. Veem isso como uma questão de poder. Já outros não estão em contato com as verdadeiras necessidades da criança e não sabem como reagir. Um pai contou-me que, enquanto estava passeando o bebê chorão no colo, no meio da noite, tentando em vão acalmá-lo, ficou tão furioso que teve vontade de jogá-lo pela janela. Seria o bebê insensível a esse sentimento? Será que ele não perceberia que, pelo choro, corre o risco de perder o amor de que necessita? Outros pais são mais abertamente hostis, dizendo à criança que chora que, se não parar, lhe darão um bom motivo para chorar de verdade. E batem-lhe a fim de que pare de chorar. Que criança continuará chorando em face de semelhante reação? Há ainda aqueles pais que incutem na criança a ideia de que ninguém a amará a menos que sorria. Não me surpreende que meus pacientes tenham dificuldade de chorar. Eu tive.

Porém, alguns deles dizem: "Chorar não é problema para mim. Choro facilmente. Na verdade, choro muito, e isso não me parece trazer grande ajuda". Tal afirmação só é parcialmente verdadeira. Certas pessoas choram quando deviam estar furiosas, e seu choro pode ser visto como uma defesa contra a raiva. O choro não é o único sentimento que precisamos estar aptos a expressar. Todavia, não acredito que exista "chorar muito". O fato de que o choro persiste significa apenas que existe um estado contínuo de tensão no corpo. E, por causa dessa tensão, um estado contínuo de tristeza. Explico a essas pessoas que elas estão se livrando de uma parte ínfima de sua tristeza, que o pranto não é suficientemente profundo para esvaziar seu depósito de lágrimas nem para descarregar a tensão por completo. O que determina a descarga não é a quantidade de choro do indivíduo, mas a profundidade com que chora. A maioria dos pacientes aceita essa explicação e percebe que tem de abrir-se mais. Voltemos ao caso de Martha. A história que ela contou era de rejeição e humilhação. Descreveu a mãe como uma mulher fria e insensível. Martha era incapaz de recordar qualquer contato com a mãe durante a infância. Nascera na Europa durante a Guerra e, de fato, estivera separada da mãe nos primeiros anos de vida. Recordou seus constantes esforços, quando criança, para estabelecer algum contato com o irmão, que era dois anos mais velho. Ele, porém, rechaçava-a ou ignorava-a, como se ela não existisse. Embora Martha enfatizasse a natureza dolorosa dessas experiências, sua voz era isenta de emoção. Continuou descrevendo como esse tratamento por parte do irmão prosseguiu durante toda a sua infância e parte de sua adolescência. Ele recusava-se a deixar que seus amigos brincassem com ela e, por vezes, batia nela. Quando Martha contou à mãe como o irmão a tratava, foi instruída a não chateá-lo. O comportamento de seu pai era ainda mais cruel, embora não fosse fisicamente violento. Nunca dirigia a palavra à filha, enterrando-se nos jornais. Se Martha se acercava dele, o pai voltava-se para a mãe e perguntava: "O que é que ela quer?" Referia-se à pessoa dela sempre como "ela"; nunca a chamou pelo nome.

Em vista desse tratamento dispensado pelos membros masculinos de sua família, dificilmente se poderia esperar que Martha sentisse amor por um homem. E não sentia. Aos 20 e poucos anos, sentindo a necessidade desesperada de contato físico com outro ser humano, envolveu-se em atividades sexuais com homens. Mas fê-lo sem sentimento sexual. O contato não lhe pareceu agradável e sentiu-se usada por eles, de modo que suspendeu essa prática. Entretanto, estava perturbada por não ter absolutamente nenhum desejo sexual. Isso contribuiu para o seu sentimento de estranheza e irrealidade.

Ambos reconhecemos que Martha nutria considerável hostilidade em relação aos homens em virtude de suas experiências com o irmão e o pai. Como tal hostilidade bloqueia qualquer desejo sexual, no transcurso da terapia fiz muitas vezes Martha expressar sua cólera contra eles. Ela sentiu e expressou desprezo e repulsa pelo pai, em retaliação ao desprezo que ele lhe dirigia. Contudo, estava consciente de que, em criança, ansiara desesperadamente por algum contato com o irmão e o pai. Eu tinha quase certeza de que esse anseio carregava um elemento sexual. Durante o período edipiano, a menina é atraída sexualmente pelos membros masculinos de sua família. Em

Martha, o anseio e o sentimento sexual pelo pai e o irmão foram fortemente suprimidos. Se sua hostilidade para com eles era a força que mantinha esses sentimentos em estado de supressão, a descarga da hostilidade deveria permitir que eles emergissem. Mas isso não aconteceu. Eu sabia que alguma outra força devia estar agindo para manter a supressão.

A hostilidade manifestada contra Martha pelo irmão e o pai só podia ser explicada como uma transferência da hostilidade que ambos sentiam pela mãe. Incapazes de expressá-la contra ela, descarregavam-na em Martha porque também ela era do sexo feminino. Eu compreendia o rancor deles em relação à mãe – uma mulher fria e insensível que achava repulsivo o sexo ou qualquer coisa sexual. De algum modo, ela deve ter humilhado os homens (marido e filho) e eles, por seu turno, humilhavam Martha. Embora Martha entendesse isso, visto que também era repelida pela inflexível ausência de sentimento da mãe, era incapaz de odiá-la. Ao contrário, tudo que sentia era pena.

A relação de Martha com a mãe pareceu-me estranha e insólita. Falavam sempre por telefone uma com a outra, expressando-se em termos carinhosos, como namorados. Martha colocava sua fachada "está tudo bem" para a mãe, tal como fazia para o mundo, e provavelmente pela mesma razão: para negar e esconder seus sentimentos. Não obstante, seu comportamento contradizia a repugnância frequentemente expressa que sentia pela ideia de qualquer contato físico com a mãe. Eu só podia concluir que existia um vínculo secreto entre Martha e a mãe, embora não o tenha compreendido no início.

Quando todos os meus esforços terapêuticos para aliviar sua insensibilidade sexual provaram ser inúteis, comecei a entender que Martha estava aliada com a mãe numa postura antissexual contra os homens. Confrontei-a então com essa ideia de aliança e ela admitiu identificar-se com a atitude de superioridade da mãe em relação às outras pessoas. A mãe dissera-lhe que as pessoas "comuns" eram como animais que agiam de acordo com o que sentiam. Martha e a mãe estavam acima disso. Eram especiais. Somente depois que esse pacto foi desvendado, Martha conseguiu sentir a profunda tristeza pela perda de sua sexualidade e a ira contra a mãe por essa perda. Expressar essa ira, que estava impregnada de cólera homicida, preparou o caminho para o despertar de sua sexualidade.

Expressar ira não constitui apenas um ato verbal, pois tal sentimento está encerrado no corpo como tensão muscular na parte superior das costas, entre as escápulas e em torno delas. Quando Martha sentiu a ira contra sua mãe, apanhou a raquete de tênis, que está sempre à disposição na terapia bioenergética, e começou a fustigar a cama com ela. Enquanto fazia isso, expressou em palavras sua ira contra a progenitora. "Odeio você. Eu seria capaz de matá-la. Você roubou a minha sexualidade." Ela fizera antes esse exercício, manifestando sua ira a respeito de seu sofrimento, mas daquela vez o ódio foi especificamente dirigido à mãe, com *insight* sobre a sua origem.

Encaro esse tipo de relação entre mãe e filha como de natureza homossexual, pois os sentimentos reciprocamente expressos são os que, via de regra, se dirigem a uma pessoa do sexo oposto. Mas qual é o vínculo nessa espécie de relação homossexual? O que vincula a filha à mãe em nível sexual e vice--versa? Cada uma sustenta a posição antissexual e antimasculina da outra, oferecendo uma pseudoafeição que nega a necessidade de homens. Esse tipo de vínculo, entretanto, estabelece como premissa o "não" em vez do "sim", aquilo que a pessoa é contra e não a favor. É um vínculo entre vítimas. A mãe que se sente vitimada por homens pode facilmente induzir a filha a identificar--se com essa posição. De forma análoga, o pai que se sente dominado pela esposa pode induzir o filho a uma aliança contra "essas vadias" para justificar seu fracasso pessoal como homem.

Mas o que acontece se a sedução se fizer de mãe para filho, ou de pai para filha? Nesse caso, a sedução contém uma aura de incesto. Os sentimentos sexuais devem ser negados por causa da culpa, como veremos no caso de Mark.

O CASO DE MARK

Mark, psiquiatra bem-sucedido, na casa dos 40 anos, consultou-me após a morte de seu filho único, Donald, ocorrida num acidente de automóvel. Donald, de 20 anos, saíra com amigos, bebera e estava voltando sozinho para casa quando ocorreu o acidente. Mark responsabilizava-se de certo modo pela tragédia porque ignorara indícios evidentes de que seu filho estava em apuros. Antes do desastre, Mark não se apercebia de que também ele estava passando por dificuldades de uma espécie diferente.

Mark casara e divorciara-se duas vezes. Donald era filho do primeiro casamento. No momento, Mark estava envolvido com outra mulher, mas essa relação também era insatisfatória. A mulher queixava-se, segundo Mark, de que ele não tinha muito sentimento. Então ele começou a achar que aquilo talvez fosse verdade, pois, embora se tivesse sentido muito perturbado com a morte do filho, foi incapaz de chorar profundamente essa perda. Na realidade, não conseguiu sentir o luto.

Mark era um homem atraente, de corpo musculoso e bem formado. Duas características, porém, chamaram-me a atenção. É importante assinalá--las porque a pessoa é o seu corpo – ou seja, a expressão do corpo revela o caráter do indivíduo. Em primeiro lugar, a testa de Mark era contraída e as sobrancelhas puxadas para baixo, o que conferia a seus olhos uma expressão indagadora, incrédula. Se a contração e composição de sua fronte fossem mais severas, eu teria caracterizado sua expressão como paranoide. A segunda característica só era evidente quando Mark estava despido. Ele apresentava uma contração extrema em torno da região pélvica. Dado que essa tensão impedia que as sensações fluíssem para a pelve, conjeturei que Mark teria algumas dificuldades sexuais. Ele, porém, assegurou-me de que seu pênis funcionava muito bem, de que não tinha problemas com a potência erétil.

Enquanto falávamos sobre a morte de seu filho, Mark acabou chorando. Seus soluços, porém, não eram profundos nem contínuos. De qualquer modo, como ele observou, "isso representou uma mudança. Há décadas que não sabia o que era chorar". Orgulhava-se de ser forte – capaz de guiar e apoiar os outros, de produzir. "Sempre fui produtivo, mas sinto agora que não tem sido uma coisa positiva. Nunca fiz minhas esposas felizes; nunca fui feliz. E vejo-me agora na mesma situação com a minha namorada."

Por que Mark pensava que tinha de ser forte e produtivo? Segundo ele, seu pai não era assim e sua mãe queixava-se disso. "Ela desprezava-o, e eu também", comentou Mark. "Não que ele não trabalhasse nem ganhasse dinheiro, mas era um homem sem ambições. Eu realizei muito mais do que ele na vida, consegui muito mais."

Quando perguntei a Mark sobre seu relacionamento com a mãe, ele respondeu: "Eu era muito chegado a ela. Ela confiava em mim, e eu sentia--me mais seu marido do que meu pai. Eu achava que tinha de cuidar dela". A situação edipiana parecia-me extremamente carregada, de modo que questionei Mark acerca de seus sentimentos sexuais em relação à mãe. "Não me lembro de nenhum", respondeu, "a posição da minha mãe era a de que a parte inferior do corpo era suja." Recordava-se de que, quando criança, costumava deitar-se na cama com a mãe, mas que apenas seus pés se tocavam. Por outro lado, segundo me contou mais tarde, a mãe costumava aplicar-lhes enemas, o que ele achava muito excitante.

Narcisismo

Mark era um indivíduo de caráter narcisista e, como vimos, essa estrutura da personalidade não vivencia sentimento de culpa em relação à sexualidade. Isso não significa que tais sentimentos estejam ausentes. Eles são negados, como acontece com a tristeza e a ira, por exemplo, e traduzidos para um medo de fracasso no desempenho sexual. Mark, porém, era psiquiatra e, portanto, sabia muito bem que a situação edipiana que acabara de me descrever levaria necessariamente ao sentimento de culpa em torno da sexualidade. Essa era uma percepção intelectual. Para sentir sua culpa, ele necessitava de um contato mais profundo com a própria sexualidade.

Em contraste com essa proximidade com a mãe, Mark sentia-se distante do pai. Sua irmã, dois anos mais nova, era mais chegada ao progenitor. Essa espécie de divisão dos filhos – um menino para você, uma menina para mim – é comum em minha experiência. Cada criança é seduzida para uma intimidade "especial" com o genitor do sexo oposto. O ego infantil em desenvolvimento sente-se deveras lisonjeado por essa posição e cresce de importância, facilitando uma "cabeça formidável". Ao mesmo tempo, contudo, há rivalidade e competitividade com o genitor do mesmo sexo, que reage com ira contra a presunção de superioridade da criança. E Mark recordou que seu pai, por vezes, o olhava com hostilidade. A ira paterna assusta a criança, que é de fato impotente e dependente. Mas, como uma pessoa não pode ser superior se estiver assustada, o medo é suprimido e negado. Mark afirmou que não tinha medo do pai.

Portanto, quando pequeno, Mark encontrava-se num vínculo edipiano do qual existia somente uma saída – a saber, eliminar os sentimentos sexuais em relação à mãe. Como assinalou Freud, essa iniciativa é tomada sob a ameaça de castração pelo pai[32]. É claro, essa ameaça não é explicitamente formulada, mas está implícita na atitude do pai para com o rapaz. Ao mesmo tempo, a mãe rejeita quaisquer aberturas sexuais do filho, apesar de sua sedução encoberta. Mark, por exemplo, foi encorajado a deitar-se na cama com a mãe, embora somente seus pés pudessem se tocar.

Eliminar os sentimentos sexuais por tensão crônica na musculatura pélvica, como Mark fez, é, com efeito, uma castração psicológica. No entanto, Mark negou a castração e retratou-se como um macho potente – quer dizer, potente no campo erétil. Contudo, ele não sabia o que era vivenciar a sensação de fusão propiciada pelo amor, a qual, como vimos, é crucial para a verdadeira satisfação sexual. Ao contrair e comprimir a pelve, Mark cortou a sensação na região ao redor do pênis, isolando esse órgão. Embora tivesse plena sensação no pênis, este não estava ligado a nenhum sentimento no resto do corpo. Em outras palavras, castração psicológica significa perda de sentimento sexual no corpo, sobretudo na pelve, embora retendo a sensação nos genitais. O efeito é limitar a resposta orgástica. Ainda que negasse a castração, Mark tinha consciência de que algo estava faltando. Numa sessão anterior, comentara que não sentia que o pênis fosse uma parte sua.

Para recuperar o sentimento sexual em sua pelve, Mark tinha de sentir a tensão nessa área e vivenciar o medo de castração que ela representava. Quando a tensão é extrema, como no caso de Mark, qualquer pressão sobre os músculos é dolorosa. É ao sentir essa dor que a pessoa adquire consciência da tensão e do medo subjacente a ela. Se conseguir relaxar esses músculos, a dor desaparece e a pelve adquire calor e impregna-se de sentimento. A pressão que aplico raramente é forte, porque a maioria dos pacientes tem receio de ser machucada na área pélvica. Em geral, se faço nessa área um movimento inesperado, seja inadvertida ou deliberadamente, o paciente pulará de medo. Contudo, vivenciar esse medo permite-lhe perceber que o temor provém de experiências anteriores, pois ele sabe que não pretendo infligir-lhe nenhum dano. Essa compreensão permite ao paciente relaxar sob a minha pressão e vivenciar a tepidez e o prazer da sexualidade pélvica.

Para minha surpresa, Mark não mostrou nenhuma reação quando apliquei a pressão de meus dedos aos músculos tensos de suas virilhas. Nem mesmo o aumento da pressão suscitou alguma reação. Ele sentiu pressão e uma leve dor, disse, mas podia suportá-la. De fato, disse-me ele, teve vontade de rir de mim. Suprimiu o riso porque achou que teria um timbre diabólico. Pedi a Mark que fosse em frente e risse. O riso soltou-se – "Ha, ha, ha" – com um tom debochado, como se dissesse: "Você não me pega" ou "Você não me assusta".

Tenho ouvido muitas gargalhadas diabólicas no decorrer de meu trabalho com pacientes. O riso tem sempre o mesmo significado, pois irrompe sempre quando o paciente deveria reagir emocionalmente. O paciente parece estar à beira de se desfazer em lágrimas mas, em vez de chorar, gargalha. Uma reação emocional mostraria que a pessoa foi afetada pela experiência. O riso nega qualquer sentimento. "Ganhei", declara esse riso. "Sou mais poderoso do que você. Posso resistir-lhe." Tal riso é característico de todos os pacientes narcisistas, pois representa uma negação clara do sentimento.

Mas por que dizemos que ele tem um som diabólico? Não se trata apenas da minha opinião; todos os que o ouvem atribuem-lhe essa característica. E, no entanto, não creio que alguém já tenha realmente ouvido o riso do diabo. Não acreditamos em demônios, pelo menos não nos míticos. Mas os seres humanos podem ser diabólicos. Às vezes até dizemos de alguém: "Ele tem o diabo no corpo." Se existe alguma verdade nessa observação, atrevo-me a dizer que encontraremos um demônio em todos os indivíduos narcisistas ou psicopáticos.

De todo modo, Mark e eu discutimos a sua reação. Sugeri que ele não se sentia ameaçado porque nada tinha a perder. De qualquer modo, seu pênis não lhe pertencia. Essa interpretação pareceu-lhe sensata. Disse-me então que sempre tivera a imagem de que seu corpo era um pênis; sua cabeça era a glande, enquanto o resto do organismo era o corpo peniano. Haveria algo mais fálico ou mais narcisista?

A imagem do corpo como um falo indica que Mark pensava que tinha de ser duro e forte. Orgulhava-se de sua potência eretiva, mas, embora tal potência seja uma precondição para o orgasmo, o prazer e a satisfação sexuais dependem da descarga de excitação e do alívio de tensão. O homem deve renunciar à ereção para alcançar o orgasmo. A maior ênfase na potência erétil do que na potência orgástica deriva do compromisso de não "faltar" à mulher. Essa era a orientação básica de Mark na vida. Fora seduzido para essa posição pela promessa da mãe de que ele seria seu amor "especial". Lamentavelmente, como criança, Mark não podia antever o vazio de tal promessa. Ele tornou-se, de fato, o amor "especial" dela, mas à custa de sua sexualidade e de seu sentimento sexual. Renunciou à potência orgástica em troca de uma potência erétil exagerada; em outras palavras, sua realização pessoal tornou-se secundária em relação à da mãe.

O sacrifício de Mark não favoreceu sua mãe. Contou-me que, quando ele estava com 10 anos, a mãe começara a beber excessivamente e a usar drogas. Como rapaz, tomou para si a tarefa de zelar por ela e protegê-la de seu comportamento autodestrutivo. Seu pai estava menos envolvido. Mas os esforços de Mark foram em vão; por fim, ele se voltou contra a mãe em virtude do que ele interpretava como uma traição. Embora isso acrescentasse uma nota de amargura e ira a todas as suas relações com mulheres, sua posição original não mudou.

Para as mulheres, Mark projetava a imagem de um homem capaz de produzir (uma ereção) e de manter sua dureza e força. Acreditava ele ser isso o que as mulheres queriam; portanto, era uma manobra sedutora. Muitas mulheres lhe corresponderam, de fato, mas as relações nunca levaram a uma satisfação real para ambas as partes. Como já assinalei, os dois casamentos de Mark tinham terminado em divórcio. Assim como não havia satisfação profunda para Mark em nível erétil, para as mulheres tampouco não havia nenhuma. Repetindo, a relação sexual entre um homem e uma mulher é muito especial. O clímax do homem desencadeará o da mulher e vice-versa. Uma mulher pode querer que o seu homem seja duro e forte às vezes, mas somente se ele também for meigo e terno. Mark começou a entender que sua dureza também era uma expressão negativa. Podia ser interpretada como dizendo: "Você não pode atingir-me. Não sentirei nada".

Lentamente, por meio do nosso trabalho, a atitude de Mark e seu corpo começaram a mudar. O desejo expresso de ser brando levou-o a soluçar, o que amoleceu seu corpo. Sua expressão tornou-se diferente. Quando o vi pela primeira vez, havia uma sombra irritada e dolorida em seu rosto. As sobrancelhas franziam-se numa expressão de incredulidade e desconfiança. Depois de chorar profundamente, seu rosto iluminou-se, a sobrancelha elevada, o olhar desanuviado. Parecia um garotinho feliz. Era como o outro lado da moeda. A "face" do homem duro, amargurado, colérico, tinha encoberto o seu lado oposto, numa inversão do tema de Dorian Gray.

Mark sempre se viu como especial e superior, primeiro em relação ao pai e, mais tarde, em relação a outros homens. Era forte, não os temia, era produtivo e podia satisfazer uma mulher – essa era a imagem que ele projetava e com a qual se identificava. Proporcionava-lhe uma sensação de poder em relação às mulheres que não diminuíra muito com o fracasso de dois casamentos. Enquanto tivesse um bom desempenho sexual (produzir ereção), ele estava no topo, era vitorioso. Usava o sexo como defesa contra o sentimento – sua necessidade de amor, seu medo de rejeição, sua impotência orgástica. Os narcisistas utilizam o sexo como substituto do amor e da intimidade.

Os narcisistas temem a intimidade porque ela requer uma exposição do *self*. A pessoa não pode ser íntima e ao mesmo tempo esconder-se atrás de uma máscara ou imagem. Mas a proximidade física não faz tal exigência e pode ser usada para ocultar o *self* e os sentimentos. Os narcisistas podem usar a proximidade sexual para evitar a verdadeira intimidade, pois a escuridão e a proximidade são obstáculos para ver outro. Por conseguinte, o sexo torna-se um ato mecânico entre dois corpos, enquanto os sentimentos são despertados por e concentrados em parceiros imaginários.

Narcisismo

A percepção é uma função de tempo e distância. Ver outra pessoa leva tempo. Se estamos fortemente concentrados na realização de um objetivo, só vemos o outro como uma imagem. Não há tempo para efetuar a mudança de foco necessária para permitir que o *self* do outro se apresente nitidamente.

Agindo assim, a outra pessoa torna-se mais importante do que o nosso objetivo, o que é extremamente difícil no caso dos narcisistas. Distância ou espaço é importante para o contato visual. Se carregamos alguém nas nossas costas, literal ou figurativamente falando, não podemos ver nem ser vistos por ele ou ela. Do mesmo modo, duas pessoas que se abraçam não podem se ver mutuamente. Os narcisistas, solitários que são, procuram abraços, mas desconfio de que façam isso por ser menos ameaçador do que ver ou ser vistos. Todavia, esconder o *self* nega-o e culmina em sua perda.

Aconselho os pacientes a olhar antes de tocar. Ver quem é e onde está a outra pessoa antes da aproximação, caso haja um verdadeiro desejo de fazer contato com ela. O seguinte incidente ilustra o narcisismo que se traveste de intimidade. Ocorreu num grupo de treinamento para terapeutas que eu estava conduzindo. Meu colega tinha justamente acabado de ministrar uma aula de exercícios e anunciou um período de trabalho corporal não estruturado. O que ele disse foi: "Agora podem fazer o que quiserem". Uma mulher exclamou: "Eu quero dar um grande abraço em Al Lowen". Dito isso, correu para mim como uma mãe que reencontra o filho perdido. Antes que me alcançasse, estendi a mão à minha frente e disse: "Pare. Por que não verifica primeiro se eu quero ser abraçado?" Obviamente, não lhe ocorrera que eu poderia ter alguns sentimentos que deviam ser considerados. Submeter-me sem qualquer sentimento ou desejo de minha parte seria uma negação do meu *self*. Agir impulsivamente como essa mulher fez era uma negação do seu *self*. Depois de fazer sua declaração, que era autêntica, ela poderia aproximar-se de mim, estabelecer contato visual e dizer-me: "Gostaria de lhe dar um abraço". Estou certo de que, se o nosso contato visual fosse bom, eu teria reagido cordialmente, já que ela me teria visto como uma pessoa e não como a imagem que admirava.

O QUE É COMUM?

Recordam-se da história de Fernão Capelo Gaivota? Era uma ave "especial". Não estava interessada em guinchar ou em altercar com as outras gaivotas. Não queria participar de suas brigas por um pedaço de peixe podre. Estava acima disso. Enquanto as outras aves estavam contentes em permanecer dentro dos limites da vida comum das gaivotas, Fernão Capelo estava obcecado com a ideia de transcender tais limites. De modo que partiu sozinho para tornar-se um espírito puro, interessado somente no amor puro. Nada de sexo. Essa escolha é sensata? Na realidade, quando crianças, os narcisistas não tiveram escolha. Foram seduzidos para renunciar à sua sexualidade e, no lugar desta, foi-lhes oferecida a ideia de que eram especiais. Foi um mau negócio, mas eles não tinham escolha. Talvez tenham até pensado que um dia experimentariam uma sexualidade especial, que transcendesse o amor comum. Como adultos, podem dar-se conta de que isso só é possível na sua imaginação. Contudo, tendo aceito um acordo inicial, mostram-se agora relutantes em renunciar a ele. Afinal de contas, não são eles especiais? Por que haveriam de abdicar disso? Porém, se não renunciarem à ideia de que são especiais, não terão chance de recuperar a sexualidade que é comum a todos nós.

Quando digo isso, não estou negando que as pessoas tenham dotes especiais. Cada um de nós é um ser único, com aptidões e talentos próprios e diferenciados. Mas isso não nos faz "especiais", pois reconhecemos que os outros também têm aptidões e talentos que podemos não possuir. Se formos sábios, não basearemos a nossa identidade em nossa capacidade especial. Nossos dons especiais são como os móveis numa sala. Sem uma casa para contê-los, para dar-lhes significado, são simplesmente peças do mobiliário. Numa casa, eles adquirem o caráter e a distinção que refletem a qualidade da vida. O nosso corpo é a nossa casa. É o alicerce de nossa identidade. Escrever um livro não faz de mim um homem. Sendo homem, que é a essência de minha natureza, também posso ser escritor. Aquele que identifica o próprio corpo como seu ser, que pode dizer simplesmente "Sou um homem" ou "Sou uma mulher", descobrirá que a sua verdadeira identidade deriva de nossa herança comum, não do fato de "ser especial".

O que entendo por herança comum? Como não somos especiais? O que é comum a todas as pessoas é o corpo e o seu funcionamento. Basicamente, todos os corpos funcionam do mesmo jeito. Para ser especial, é preciso negar a identificação com o próprio corpo, pois tal identificação indicaria que a pessoa é como todas as outras. Uma paciente descreveu sua mãe narcisista nestes termos: "Ela pensa que a sua merda não fede". E, para ser especial, a pessoa deve ainda negar seus sentimentos, pois também estes são comuns. Todo mundo ama, odeia e se encoleriza, se entristece, se assusta etc. O indivíduo especial tem de estar acima do corpo e de seus sentimentos.

Narcisismo

Ser especial aliena. Referimo-nos às pessoas em geral como comuns. As pessoas comuns têm umas às outras. Elas pertencem à raça humana; participam da luta ordinária. Mas não estão todas ligadas entre si. A pessoa especial está inicialmente vinculada ao indivíduo que a faz sentir-se dessa forma e, mais tarde, àqueles que a veem assim. A pessoa especial não é livre – isso é ilusão. Enquanto a pessoa especial vive nas nuvens, em imagens, os seres comuns estão com os pés assentes na realidade da vida. Riem e choram, sentem prazer e dor, mágoa e alegria. Vivem a vida e assim se realizam. Já a pessoa especial imagina uma vida. E, desse modo, cria um destino especial – mas acaba vendo sua imagem desmoronar, como aconteceu a Dorian Gray quando se defrontou com a realidade.

Como enfatizei repetidas vezes, as necessidades verdadeiras de um ser humano nunca são satisfeitas por meio de uma imagem. O homem não se realiza em sua masculinidade seduzindo mulheres com uma máscara de "macho". Por muito eficaz que seja essa fachada, ele continuará inseguro enquanto depender dela. Como não pode desvencilhar-se dela e aceitar seus sentimentos, sua receptividade sexual sofrerá. Lamentavelmente, essa ausência de realização sexual parece confirmar sua inadequação, levando-o a investir ainda mais energia na fachada. Sua necessidade real consiste em aceitar-se tal como é, o que significa aceitar todos os seus sentimentos – medo, ira, tristeza e até desespero. Ao aceitar a si mesmo, descobrirá sua verdadeira masculinidade. As mesmas considerações aplicam-se à mulher que tenta projetar uma imagem de feminilidade sedutora. A imagem nada faz para ampliar seus sentimentos sexuais; ao contrário, na realidade os diminui, porque a energia ou libido é retirada do sentimento do corpo e investida no ego. A verdadeira beleza, para homens e mulheres, reside numa vivacidade interior, não na exibição externa de aparências. Tenho ouvido muitas mulheres exclamarem no final de uma sessão em que descarregaram sua tristeza por meio do choro profundo: "Eu devo estar horrorosa!" Na verdade, os olhos delas estavam brilhantes e seu rosto, radiante. Tinham um belo aspecto.

6. Horror: a face da irrealidade

No Capítulo 3, assinalei como a negação de sentimento que caracteriza o narcisista difere da ausência de sentimento no esquizofrênico catatônico. O corpo do catatônico fica rígido; nada se move e, portanto, nada há para sentir. Não é o caso do narcisista. Este movimenta-se como uma pessoa comum. Superficialmente, é difícil perceber a falta de sentimento, a não ser por dois indícios. Um é a presença de uma fachada, a qual revela que a pessoa está agindo mais em função de uma imagem do que de um *self* dotado de sentimento. A fachada é reconhecida pelo fato de que tem sempre uma expressão fixa; por exemplo, o sorriso congelado que muitas pessoas exibem. A fachada é realmente uma máscara que se caracteriza pela ausência de vivacidade. O outro indício é uma expressão especial nos olhos – ou, antes, a ausência de expressão. Essa opacidade dos olhos não reflete, em absoluto, uma mente obtusa. Muito pelo contrário. Mentalmente, os narcisistas são argutos e ágeis; seu pensamento é claro e lógico. Conheci narcisistas que eram jogadores em torneios de bridge, especialistas em computadores, consultores financeiros e advogados astutos. Seu pensamento, entretanto, não estava ligado ao sentimento; a mente desses narcisistas funcionava como um computador. O contato visual é uma expressão de amizade, pois representa um grau de intimidade que a pessoa não concede a estranhos. É interessante notar que a forma comum de saudação entre alguns nativos africanos é a expressão "Eu vejo você".

É verdade que também existe uma ausência de sentimento no olhar de indivíduos esquizoides ou esquizofrênicos, mas suas características são diferentes. Os olhos do esquizofrênico têm uma expressão distante ou vazia, como se estivessem olhando para além de nós. Enquanto uma parte deles nos vê e ouve, a outra está em outro lugar. Quando os esquizofrênicos ficam com esse olhar distante, dizemos que seus olhos se retiraram. Os olhos dos narcisistas nunca saem de cena. A mente deles não se afasta da realidade da situação em que se encontram. Quando nos olham, nos veem – não como um ser que tem sentimentos, mas apenas como uma imagem. É como se estivessem mirando um reflexo num espelho. Assim, podem ter conhecimento de tudo que fazemos, mas sem ver o essencial de nós. Nesse sentido, há uma importante ruptura com a realidade na personalidade do narcisista, mas isso nada tem que ver com a ruptura do esquizofrênico com a realidade. Nunca se chamaria um narcisista de louco, por maior que fosse o grau de insanidade presente nas profundezas de sua personalidade (veja o Capítulo 7). Mas por que os olhos do narcisista são tão inexpressivos?

Sugeri anteriormente que os narcisistas apagam seus sentimentos para se defender da vulnerabilidade. Contudo, os neuróticos fazem o mesmo. O que é único, então, no distúrbio narcisista? Em minha opinião, o que estabelece a diferença é a experiência de horror na situação familiar. Para entender o distúrbio narcisista, precisamos entender que as pessoas reagem à experiência de horror, negando-a. É necessário saber exatamente o que é "horror" e que fatos lhe dão origem numa família. Foi Paul quem, pela primeira vez, me fez tomar consciência do papel do horror na etiologia do narcisismo, de modo que começarei com o seu caso.

O CASO DE PAUL

Paul, de 36 anos, procurou-me com a queixa primária de depressão. O que me surpreendeu no seu caso foi a minha incapacidade de suscitar nele qualquer reação emocional. Notei, contudo, que, enquanto realizava alguns exercícios respiratórios, Paul articulava sons que me fizeram pensar nos velhos judeus junto do Muro das Lamentações em Jerusalém. Quando lhe observei isso, Paul não reagiu – não expressou interesse nem surpresa. Seu rosto era uma máscara.

É possível penetrar nessa máscara aplicando leve pressão com os dedos nos ossos malares, ao longo do nariz. A pressão se exerce sobre o músculo risório e impede a pessoa de sorrir. Quando tentei essa manobra com Paul, seu rosto assumiu uma expressão muito triste, perdida. Seu único comentário, entretanto, foi: "Não sinto nada". Pedi a ele que abrisse bem os olhos enquanto eu continuava a pressão. Esse exercício provocou uma forte expressão de medo. No entanto, o único comentário de Paul voltou a ser: "Não sinto nada".

A aparência física de Paul dava pistas de seu problema. Embora seu corpo fosse bem formado, sem quaisquer distorções óbvias, eu tinha a nítida impressão de que sua cabeça não estava ligada ao corpo numa acepção energética. Quero dizer com isso que qualquer movimento ou impulso que ocorria no corpo não alcançava ou englobava a cabeça. Do mesmo modo, as percepções e os pensamentos de Paul não influenciavam de imediato as reações do seu corpo. Era como se ele estivesse dividido – o que se passava em seu corpo não estava diretamente ligado ao que ocorria em sua cabeça. Na época em que atendi Paul, eu começara a perceber até que ponto é fundamental essa espécie de divisão para os distúrbios narcisistas. Lembro-me de ter pensado então que Paul vivia sobretudo em sua cabeça – o que era apropriado para um professor universitário.

Hoje, compreendo com mais clareza como a ruptura na ligação entre cabeça e corpo é responsável pela falta de sentimento numa pessoa. Conforme descrevi no Capítulo 3, a ruptura é causada por uma faixa de tensão na base do crânio, a qual bloqueia a percepção subjetiva de fatos corporais. Enquanto vivencia os pensamentos subjetivamente como autoexpressões, o indivíduo vivencia o corpo objetivamente – partindo de fora. Porém, em contraste com a dissociação esquizofrênica da cabeça e do corpo, na qual o corpo é considerado um objeto estranho, o narcisista sabe que aquele é o seu corpo. Paul não era esquizoide nem esquizofrênico.

A dissociação entre cabeça e corpo em condições esquizofrênicas manifesta-se quase sempre pela falta de alinhamento entre o eixo da cabeça e o do corpo. A cabeça está inclinada para um lado, o que pode ser tão imperceptível em alguns casos que só um olho experimentado o detectará, mas também pode ser evidente, dependendo do grau de dissociação. Em alguns casos, um alongamento exagerado do pescoço reflete a separação. Nenhum desses sinais é observado no distúrbio narcisista, porque não se rompeu a ligação energética entre a cabeça e o corpo.

As teorias que desenvolvi para explicar esses distúrbios não eram aplicáveis ao caso de Paul.[33] O que tinha acontecido, pois, para causar o seu distúrbio?

Paul era o caçula de três filhos e o único homem da prole. Até onde lhe era possível lembrar, o pai e a mãe não tinham tido uma boa convivência. Contou que a mãe costumava gritar com o pai e, com frequência, ficava histérica. Seu pai, por sua vez, caía em violentos acessos de cólera, quebrando objetos e, por vezes, batendo numa das filhas. Paul assistia a tudo impotente, incapaz de conter a loucura dos pais. Não se lembrava de ter sido agredido pelo pai. Ao descrever tudo isso, Paul falava lógica e friamente. Não mostrava nenhuma emoção a respeito dos acontecimentos que descrevia. É como se de fato não tivessem acontecido com ele. Podia estar comentando uma história que lera – uma história de horror, é certo, mas na qual ele não estava envolvido. Ou poderíamos descrever de outra maneira o desprendimento emocional de Paul: em muitos aspectos, sua infância lembrava um pesadelo. Era como um sonho ruim, que a pessoa rejeita como irreal quando desperta.

HORROR *VERSUS* TERROR

Antes de ter trabalhado com Paul, o conceito de horror não fazia parte de minha compreensão analítica das causas emocionais da doença. Não o incluí no espectro de emoções que apresentei e analisei no meu livro *Prazer*[34]. Por outro lado, eu sempre me referia ao terror – um termo usado amiúde de forma intercambiável com o horror – como uma emoção, isto é, como um estado extremo de medo. A personalidade esquizoide, por exemplo, desenvolve-se como reação ao terror, não ao horror. Ao contrário do terror, porém, o horror não é uma emoção, pois não existe sentimento no estado de horror.

De acordo com a definição do dicionário, "terror" indica um medo intenso, o qual é de algum modo prolongado e pode referir-se a perigos imaginários ou futuros. "Horror" implica uma sensação de choque e repulsa. O perigo a que ele se refere contém um elemento de malevolência e pode ameaçar os outros em vez do *self*. Embora possa existir um elemento de medo no horror (a raiz latina da palavra significa "grande medo"), ele não é dominante. O que predomina é a repulsa, conjugada com o seu oposto: atração. Os filmes de horror, por exemplo, baseiam-se nesse duplo aspecto.

Duas características do horror são importantes para estas considerações. Uma é o foco sobre o perigo ou dano para outrem. A outra é o modo como a experiência de horror afeta os indivíduos. Imaginemo-nos diante da perspectiva de um desastre de avião em que estamos envolvidos: é aterrorizante. A ideia de que esse desastre aconteça a outros, porém é horrorizante. Ficamos horrorizados ao presenciar uma agressão brutal contra outra pessoa, mas aterrorizados quando o ataque é contra nós próprios. Os soldados podem descrever os terrores da guerra, mas a tendência dos não combatentes é destacar seus horrores. É claro, a guerra pode ser aterrorizante e horrorizante para os nela envolvidos. Entendido isso, podemos avaliar que a reação de Paul à violência em sua família era de horror.

O horror não é uma emoção, porquanto não existe qualquer movimento a ele associado. No terror, por outro lado, há uma força motriz real ou potencial. Terror está relacionado com a palavra grega *trein* ("fugir") e a palavra sânscrita *trasati* ("ele ou ela treme"). Muitos dentre nós terão experienciado o tremor ou abalo que se segue ao escapar de um acidente perigoso; essa é a nossa reação ao terror ante a perspectiva de um sério dano. No horror, não existe reação física. Segundo o dicionário, a essência do horror é uma "sensação de choque", mas não creio que "choque" seja a palavra certa. O terror pode produzir um estado de choque. Quando um gato crava as garras ou os dentes num rato, este entra em estado de choque e não sente a dor. Podemos observar isso quando o rato é temporariamente solto: permanece imóvel por um momento, paralisado. Se passar o choque, ele tenta escapar. Dizemos que uma pessoa está gelada de terror. No choque, o sangue retira-se da superfície do corpo, paralisando a musculatura voluntária. Por conseguinte, a pessoa fica pálida e muitas vezes desmaia. No Parque Nacional de Everglades, na Flórida, vi certa vez um jacaré com um pássaro na boca. O pássaro estava vivo e consciente, mas completamente imóvel. Não lutou para fugir. É claro, não poderia escapar; um momento depois, o jacaré mergulhou e afogou a ave. Estou certo de que ela não sentiu dor, porque o choque embota o corpo. Atua como um anestésico local.

No horror, em contraste com o terror, o corpo não é relativamente afetado, visto não existir ameaça de perigo físico. O efeito do horror manifesta-se sobretudo na mente, que fica aturdida. Paralisa o sistema mental, assim como o terror paralisa o sistema físico. Podemos afastar-nos de uma cena de horror, aparentemente não afetados do ponto de vista físico, mas incapazes de pensar em nenhuma outra coisa a não ser naquilo que acabamos de presenciar. Em nossa mente, a cena repete-se uma e outra vez. Buscamos entendê-la, mas é impossível encontrar uma explicação. Não conseguimos integrar a experiência porque o horror, pela própria natureza, é incompreensível. Permanece na mente da mesma forma que a partícula indigesta de alimento fica no estômago, produzindo uma sensação semelhante de náusea e repugnância. Queremos vomitá-la para nos livrar dela. Este é o aspecto repulsivo do horror (examinarei mais adiante o aspecto da atração).

Drácula e o monstro de Frankenstein são personagens típicos do cinema de horror. Drácula, surgindo dentre os mortos e bebendo o sangue de vítimas inocentes, é uma imagem fantasiosa. Mas, em algum sentido, deve ser real pelo efeito que essa imagem exerce em nós. A ideia de que uma criatura beba sangue humano pode ser fantasia hoje, mas talvez tenha sido um fenômeno real nos primórdios da história evolutiva do homem, quando ele era vulnerável aos animais predadores. Se imaginarmos tal ataque contra nós próprios, ficaremos repletos de terror. Num filme de horror, o terror é mínimo, pois sentimo-nos relativamente seguros; as cenas nos fascinam e nos repelem; reagimos unicamente ao horror.

Mas esse efeito pode também ter relação com o fato de que, em tempos primevos, a humanidade via o mundo como repleto de espíritos bons e maus, deuses e deusas benevolentes opondo-se a monstros e demônios. A mitologia grega está cheia de heróis combatendo monstros, como a destruição da Hidra por Hércules – uma serpente de nove cabeças com o bafo tão poderoso que quem a tocasse caía morto – ou a destruição por Perseu da Medusa – uma das irmãs Górgonas, tão horrenda que quem a olhasse no rosto convertia-se instantaneamente em pedra. Esses monstros representam as forças caóticas, incontroláveis e incompreensíveis da natureza. A vitória humana sobre esses horrores simboliza a capacidade do homem de superar esse medo primitivo do desconhecido, por meio da coragem, da força e da inteligência. Para a maioria das pessoas, hoje a natureza – mesmo em seus aspectos mais assustadores (furacões e terremotos) – não se apresenta como monstruosa e apavorante. No entanto, a vitória não está completa; ainda existem forças incompreensíveis na natureza humana que podem suscitar horror em nós. Drácula e o monstro de Frankenstein são parecidos com criaturas humanas.

Infelizmente, existem também monstros humanos. Hitler, por exemplo, é visto assim por inúmeras pessoas, e as imagens dos campos de concentração nazistas ainda suscitam em nós uma sensação de horror. Os monstros humanos caracterizam-se por sua ausência de sentimentos humanos. Os genocidas, os criminosos sexuais e os assaltantes são considerados monstros. Seu comportamento é incompreensível para uma pessoa normal e gera horror. Um exemplo muito comum é o seguinte: uma mãe com um filho de 6 anos que caminhava por uma rua de Nova York foi assaltada e brutalmente espancada por marginais. A criança assistiu à cena horrorizada, mas parecia inabalada. Sua mente, segundo imagino, só podia pensar: "Não. É impossível. Isso não devia estar acontecendo. Por quê? Não entendo". O garoto viu os assaltantes como um bando de monstros.

O horror não é a única reação a um fato incompreensível. O espanto é outra reação possível. Uma situação que não pode ser absorvida (compreendida) pela mente será vista com horror ou espanto, dependendo de ter conotações negativas ou positivas para o espectador. Ver um esquadrão de aviões voando sobre nós para bombardear o inimigo pode ser uma visão espantosa. O mesmo esquadrão, visto pelo inimigo, poderá suscitar um sentimento de terror, se cada um acreditar que é pessoalmente ameaçado pelo ataque, ou de horror, se o ataque for dirigido para outro alvo e a pessoa sentir-se segura. Porém, na maioria das situações de horror, existe algum elemento de terror, dado que não podemos evitar certa identificação com a vítima e, assim, sentiremos medo.

A distinção entre horror e terror ajuda-nos a compreender uma diferença essencial entre distúrbios narcisistas e esquizoides. A personalidade esquizoide deriva diretamente da experiência de terror (meu livro *O corpo traído* deixa isso claro). O corpo esquizoide está gelado – gelado de terror. Está em estado de choque: sangue e energia são retirados da superfície do corpo, deixando-o frio e inerte. O corpo do indivíduo narcisista é relativamente incólume à experiência de horror. A incapacidade de reagir emocionalmente deriva da negação de sentimentos que estão presentes no corpo. Mas as experiências de horror e terror não se excluem. A pessoa pode estar sujeita a ambos; dessa forma, sua personalidade mostrará tendências esquizoides e narcisistas. A avaliação de tal caso depende do grau de cada fator. Torna-se uma questão de julgamento clínico.

HORROR NA FAMÍLIA

Podemos voltar agora ao caso de Paul e compreender que viver com uma mãe histérica e um pai violento era um pesadelo para ele. O comportamento dos pais era incompreensível, sobretudo porque Paul acreditava que eles se preocupavam um com o outro e com os filhos. Tal como em qualquer pesadelo, Paul tentou esquecer o que tinha visto. Mas ninguém pode esquecer facilmente um pesadelo – tudo que se pode fazer é transformá-lo em algo de outro mundo, um mundo irreal. Dissociamo-nos dele. Foi isso que Paul fez. Dissociou-se do seu passado, negando sua realidade. Eliminou qualquer sentimento de anseio de intimidade com um dos pais, o que lhe permitiu negar sua tristeza, sua ira e seu medo. O bloqueio foi tão eficaz que era quase impossível evocar qualquer sentimento na terapia. A vida, porém, interferiu nessa situação. O pai de Paul teve câncer, e a família, em face dessa tragédia, permitiu que o carinho, a solicitude e a preocupação entre eles fossem expressos. Antes que Paul pudesse chorar por sua dor, chorou pela dor e pela tragédia da doença do pai.

A reação de Paul ao horror de sua infância não era incomum. Numa situação de horror, todos somos propensos a duvidar dos nossos sentidos, porque eles contradizem nossa imagem da realidade. Questionar nosso senso de realidade faria sentirmo-nos desorientados e loucos. Para proteger nossa sanidade mental, preferimos dissociar a experiência – ela torna-se irreal, um pesadelo. De que modo isso leva a um distúrbio narcisista? Se a experiência de horror é isolada, a dissociação limita-se a essa situação. Mas se, como no caso de Paul, o horror é contínuo, se a pessoa vive em tal situação, a dissociação estrutura-se no seu corpo como uma divisão entre as funções perceptivas da mente e as funções sensitivas do corpo. Negar as próprias emoções passa a ser um hábito embutido na personalidade. A ação é empreendida lentamente na base da razão e da lógica. Vive-se num mundo alijado do sentimento. Com efeito, o mundo do sentimento é considerado irreal e, portanto, próximo da insanidade. Embora tal pessoa não ignore os sentimentos, não pode entregar--se a eles – isto é, permitir que eles "ditem" seu comportamento. Mesmo quando Paul conversou a respeito do horror do Holocausto, suas palavras não estavam ligadas a qualquer sentimento. Ele ainda estava por demais dominado pela sensação de horror acerca do que acontecera à sua família e aos judeus em geral para poder falar com sentimento a respeito disso. A única maneira de superar o efeito de horror sobre a personalidade é ativar o sentimento da pessoa de forma que ela possa ab-reagir a essas experiências dolorosas – chorar por elas, encolerizar-se ou ambas as coisas. Vimos que, quando Paul realizou um exercício de respiração destinado a ativar o sentimento, ele articulou sons lamuriosos, sugerindo dor e mágoa, mas não se identificou com eles. Negou o significado desses sons.

Aqueles que passaram por experiências de horror durante a infância portam uma característica irreal em sua personalidade. Podem descrever um passado que faz o ouvinte arrepiar-se, mas falam com voz calma e fleugmática. Não só parecem, de fato, desligados do *self* e de seus sentimentos como aparentam não estar em contato com o ouvinte como pessoa sensível. Seus olhos veem-nos, mas não nos tocam. Uma concha recobriu a experiência de horror. Essa experiência está enterrada – uma bomba-relógio cuja explosão poderia produzir a insanidade.

Até que ponto é comum a experiência infantil de horror? Em termos de discussões e brigas dos pais, eu diria que bastante. No Capítulo 3, apresentei o caso de Linda, que tinha negado todo o sentimento. Quando criança, ela

Narcisismo

costumava esconder a cabeça sob o travesseiro para não ouvir seus pais gritando um com o outro. Disse que não podia suportar aquilo. Uma reportagem recente do *New York Post* conta a tentativa de suicídio de dois meninos que afirmaram não suportar as constantes brigas e xingações de seus pais. A maioria das crianças aprende a suportá-las, mas o preço que pagam é a dissociação do mundo do sentimento.

Altercações e brigas não constituem a única forma de horror numa família, como indicou o caso de Burt, indivíduo de personalidade narcisista com tendências psicopáticas. Burt descreveu a mãe como uma fanática religiosa. Sempre que ele ficava doente ou em dificuldades, ela lhe garantia que bastava acreditar em Cristo e tudo ficaria bem. Tal atitude pode ser útil para um adulto, que é capaz de colocar a fé numa entidade imaterial, mas é incompreensível para uma criança, cuja fé está depositada nos pais. E não era apenas o fervor religioso que convertia a mãe de Burt num monstro aos olhos dele. Ela era dura e insensível, com uma falta quase total de sentimento e empatia. Porém, conseguiu seduzir Burt para uma relação "especial" com ela, afastando o rapaz do pai e privando-o de qualquer afeto e apoio paternos. Viver sob o controle e o domínio da mãe era um pesadelo para Burt, o que anulou nele todo o sentimento. Sua grande queixa era que a vida não tinha significado nenhum para ele.

Ouvi uma história parecida de outro paciente – Charles – que era psicólogo. Seu pai abandonara a família quando ele tinha 3 anos de idade. Sua mãe tornou-se então fanática religiosa e passou a ignorar por completo o filho. Embora tivesse irmãos mais velhos, Charles sentiu-se um estranho em sua casa. Passou a ter medo da mãe, a quem via como uma mulher fria e insensível; assim, decorridos muitos anos, desenvolveu-se nele um estado de solitário desespero. Quando o conheci, já rapaz, tinha uma expressão beatífica no rosto, mas nenhum vestígio de sentimento. Retratei Charles como um monge medieval, vivendo sozinho e afastado do mundo cotidiano – que, para ele, não tinha nexo. Na realidade, sua hostilidade subjacente contra a mãe impedia-o de acompanhá-la em seus passos religiosos. Mas, para estar no mundo, ele tinha de lhe encontrar um sentido – e tentou fazê-lo, tornando-se psicólogo.

A psicologia, como estudo do comportamento humano, tenta explicar ações que contrariam as tendências naturais. Não precisamos de psicologia para explicar por que uma criança bebe um copo d'água. Isso faz sentido porque a água sacia a sede. Mas, quando uma criança age auto destrutivamente – recusando-se a comer, por exemplo – recorremos à psicologia para explicar tal comportamento antinatural. Do mesmo modo, não precisamos de psicologia para explicar o amor de uma mãe por seu filho. Mas necessitamos de psicologia para explicar o comportamento destrutivo de uma mãe em relação à prole. O mesmo vale para um pai. E não faz sentido para as crianças se os pais não se comportam com amor recíproco. Como esperar que uma criança compreenda a hostilidade mútua dos pais? Ela teria de ser psicóloga. Senso e sanidade andam juntos. As ações nem sempre precisam ser sensatas. Há lugar em nossa mente para o absurdo. Mas sabemos que este não pretende fazer sentido, de modo que não perturba nossa noção de realidade. Quando coisas que se pressupõe fazerem sentido não fazem, parece loucura. Quando os pais se comportam sem amor, a criança sente que a situação é absurda. Que não faz sentido. Mas pode uma criança dizer à mãe: "Escute aqui, você está agindo como louca; você deveria me amar"? Se a criança o dissesse, a mãe poderia responder: "Eu amo você, mas você é uma criança má". Bom e mau são conceitos refinados, que a criança só apreende lentamente. Sua reação imediata é pensar: "Deve haver algo errado comigo. Sou louca porque espero que minha mãe me ame, independentemente do que eu faça". Como a mãe se apresenta como árbitro final da realidade, o filho deve aceitar essa posição como razoável e sensata. Os sentimentos naturais de anseio e amor da criança são vistos, portanto, como loucura.

O CASO DE LAURA

Era a apatia nos olhos de Laura que me deixava sempre consciente do horror de sua infância. Laura podia ser descrita como uma personalidade de fronteira, pois sua noção do *self* era precária. Seu corpo tinha uma subcarga, carecendo de energia. A pele era fria e úmida; a respiração, pouco profunda; a musculatura, subdesenvolvida. Surpreendentemente, embora corresse cerca de seis quilômetros todos os dias, suas pernas tinham um aspecto frágil: eram delgadas e pouco desenvolvidas. E sua voz parecia ainda mais débil. Laura poderia ter força de vontade para correr, mas não tinha vontade suficiente para comunicar-se comigo. Ela era incapaz de soltar a voz sempre que sentia qualquer coisa. Sua voz simplesmente falhava se quisesse protestar dizendo "não" ou se tentasse articular um som forte e encolerizado. Laura tampouco conseguia chorar; nenhum som irrompia de sua garganta contraída. Obviamente, na primeira fase da terapia, trabalhei no sentido de ajudá-la a respirar

Narcisismo

de forma mais profunda e de mobilizar sua voz. Por fim, Laura soltou um grito e chorou, o que melhorou sobremaneira sua situação.

Ela desenvolveu uma acentuada transferência para comigo. Por várias vezes, surpreendi-a olhando para mim quando ficava deitada na cama, após algum exercício, seus olhos fixos no meu rosto. Numa ocasião, quando me olhava fixamente, estudei seus olhos com cuidado. Estavam arregalados, as pupilas dilatadas por completo, apesar de a sala estar bem iluminada. Tinham uma constituição opaca, espantada – a expressão de horror. Intrigado com isso, perguntei a Laura o que estava vendo. "Adoro olhar para o seu rosto", disse ela, em tom de devaneio. "Você tem um rosto tão meigo!"

A declaração de Laura contradizia tanto o horror em seus olhos que me perguntei se ela estaria pensando em outra pessoa enquanto me olhava. "Sim", respondeu ela, "no meu pai". Tendo percebido que seus olhos refletiam sua experiência com o pai, pedi a Laura que me falasse a respeito dele.

"Ele era um belo homem, alto, um ator", descreveu ela. "Mas vi nos olhos dele que queria me matar."

"Por quê?"

"Estávamos morando num quarto de hotel", explicou Laura. "Ele desejava minha mãe e eu estava sobrando. Costumava dizer-me: 'Vá dar uma volta, garota'. Quando furioso, seu rosto ficava medonho, desfigurado. Eu não conseguia acreditar que meu pai pudesse converter-se num monstro. Lembro que, quando era pequena, ele me sentava em seus ombros e ele me segurava. Era tão bom!"

Seus pais haviam se separado quando Laura tinha 3 anos. A mãe disse-lhe que era por causa dela. O pai foi para Hollywood trabalhar como ator, mas voltou quando ela estava com 9 ou 10 anos. Ele não tivera êxito.

Laura continuou sua história: "Ele estava com um aspecto ruim. Tinha colocado jaquetas em todos os dentes para ser ator, mas sofreu um acidente de automóvel e os dentes de baixo foram-lhe todos arrancados. Costumava deitar na cama e gritar. Era horrível. Para mim, aquilo era insuportável. A vontade era de fugir de casa. Eu não conseguia aguentar o seu sofrimento".

Durante a ausência do pai, Laura e a mãe tinham se mudado de um lugar para outro. Ela descreveu a relação entre ambas como simbiótica. "Sentia minha mãe e a mim como uma só pessoa. Ela me azucrinava o tempo todo. Assim, quando meu pai regressou, voltei-me para ele. Mas foi um grande equívoco, porque, quando ele me magoava, eu não podia reclamar. Não

podia contar a ninguém. Ele costumava me bater quando estava frustrado ou encolerizado. Certa vez, jogou-me contra uma parede. Mas não chorei. Senti muita pena dele. Era uma figura tão trágica!"
Os sentimentos de Laura em relação ao pai eram ambivalentes. Em outra ocasião, ela descreveu-o como "sombrio, ensimesmado, tempestuoso". Ele a assustava, mas Laura também sentia que o pai era como um garotinho a quem ela deveria proteger. Ela teria feito qualquer coisa para torná-lo feliz. "Mas", admitiu Laura, "ele era um bebê mimado. Tudo tinha de ser para ele e tornou-se abominável. Eu satisfazia suas necessidades narcisistas. Precisava ser admirado e eu o admirava. Ele nunca me conheceu de fato. Depois comecei a odiá-lo cada vez mais, o que me fez odiar a mim mesma."

Um aspecto do horror na situação de Laura era que não fazia sentido. Seu pai tratava-a perversamente e, no entanto, fez também coisas que a levaram a ter consciência do seu amor por ela. Contou que o pai doou sangue a fim de obter dinheiro para comprar-lhe um presente. Eu diria que ela, às vezes, também vislumbrava ternura ou suavidade nos olhos dele, o que a comovia profundamente. Mas sustentar essa abertura estava além dele. Aquilo o fazia sentir-se excessivamente vulnerável, de modo que a suprimiu. A tragédia dos narcisistas é que, em algum nível profundo, eles querem desesperadamente amar e ser amados, mas não conseguem ou não se atrevem a expressar esses sentimentos. Isso causaria muita dor.

O problema de Laura era o inverso do de seu pai. A grandiosidade dele adaptava-se à insignificância dela; a necessidade paterna de ser admirado ajustava-se à necessidade filial de admirar. O distúrbio, entretanto, era o mesmo: incapacidade de amar. Ambos tinham amado; ambos tinham sido seduzidos e traídos. Seu pai tinha sido seduzido pela mãe dele a ponto de considerar-se especial. E, de algum modo, Laura também se via como alguém especial; dedicava-se a fazer os outros felizes. Mas esse autossacrifício não é substituto para o amor.

Sob a traição e a mágoa nos narcisistas e nas personalidades de fronteira está o amor original. Esse amor é a única coisa que pode dar à pessoa uma noção do *self*, o sentimento de um *self* capaz de amar e ser amado. Laura transferira para mim a admiração e o amor que sentia pelo pai. Poderia ela expressar esse amor e anseio? Deitada na cama, pedi-lhe que estendesse os braços à frente como uma criança, e disse-se: "Papai, papai". Nenhum som foi articulado. Sua garganta contraiu-se e uma expressão de dor intensa perpassou fugazmente seu rosto. Era demais. Laura não podia permitir-se sentir a profundidade de seu anseio ou a extensão de sua dor.

Como assinalei antes, Laura já tinha feito considerável progresso na terapia, abrindo-se cada vez mais comigo. Consegui fazê-la gritar aplicando alguma pressão nos músculos retesados de ambos os lados do pescoço. Nunca era um grito pleno, mas, com frequência, terminava num soluço. Ela também desferia pontapés na cama, protestando com "Por quê?" ou "Não!" Mas tanto aos sons como aos movimentos faltavam força e convicção. Na maioria das vezes, tinha de mobilizar a vontade para iniciar o exercício. Ainda assim, qualquer expressão de sentimento era difícil para ela. Era penoso exprimir seus sentimentos para mim, fossem de amor ou de cólera. E ela ainda não fora capaz de expressar verdadeiramente – não apenas descrever – seus sentimentos em relação aos pais. Mas somente expressando sentimentos é possível estabelecer contato com o verdadeiro *self*. É um trabalho lento, pois tanto as defesas físicas (as tensões musculares) quanto as defesas psicológicas (a negação) devem ser reduzidas.

Qual era o perigo que Laura temia? O que aconteceria se ela exprimisse seus sentimentos? Na mente de Laura, se ela se soltasse totalmente, dando voz a seus sentimentos, surgiria uma maníaca estridente. Imaginava a si mesma enlouquecendo. Eu não via as coisas dessa maneira. Laura poderia gritar como uma doida, mas seus gritos seriam compatíveis com o horror de sua situação infantil. Isso faria sentido. No entanto, por mais que eu estivesse apto a explicar psicologicamente sua negação de sentimento, qualquer explicação que eu lhe desse parecia absurda. Negar os próprios sentimentos é loucura porque é uma negação do *self*. O narcisismo do pai de Laura tinha mais do que um toque de insanidade. E a insanidade de um pai, expressa na negação de sentimento, aterroriza e horroriza uma criança.

Seria um erro, porém, considerar a relação de Laura com o pai a causa exclusiva do problema dela. Ela mesma descreveu o vínculo distorcido, simbiótico, com a mãe. A mãe de Laura usava-a – exigia a presença constante da filha para apoiá-la. Ao mesmo tempo, Laura era privada do apoio e da nutrição de que necessitava para preencher seu ser. A magreza e a debilidade do corpo de Laura, a contração de seus maxilares e garganta, sua sensação de vazio interior – tudo isso sugeria um grau severo de privação oral. A mãe exigir que uma criança subnutrida responda às necessidades maternas é outra forma de loucura. E, seja qual for a sua forma, a loucura produz um senso de horror.

Em minha opinião, a insanidade subjacente de um pai (ou mãe) narcisista é mais difícil de ser enfrentada por uma criança do que um colapso nervoso puro e simples. É claro, lidar com um colapso não é fácil, mas nessa situação a criança sabe quem é louco. No caso do pai (ou mãe) narcisista, a fachada de sanidade confunde a criança. Como ela poderia estar segura de si mesma, de seus sentimentos e de suas percepções em face da arrogância e da aparente certeza de um pai (ou mãe)? Que outra opção existe senão submeter-se à noção de realidade do pai (ou mãe)? Com frequência, o paciente sente-se chocado quando sugiro que o comportamento de seus pais revela certo grau de loucura. No começo, a maioria deles tende a negar a ideia de insanidade parental, talvez porque isso poderá suscitar dúvidas acerca de sua sanidade. Alguns pacientes, entretanto, estão conscientes da loucura na família.

O CASO DE RON

Ron, homem jovem e muito bem-sucedido, procurou-me queixando-se de impotência sexual. Reconheceu que o problema se relacionava com uma falta geral de sentimento. Ademais, relacionava esse fato à loucura na vida familiar quando ele era criança. Em suas palavras: "Havia muita loucura em minha família. O jeito que encontrei para sobreviver foi fechar-me a tudo aquilo".

"Minha mãe nunca parava de falar", prosseguiu Ron "recordava-me o tempo todo como trabalhava duro. Ela era como um aparelho de TV permanentemente ligado. Eu me trancava no quarto. Mas logo meu pai batia furiosamente na porta porque eu perturbara minha mãe. Eu não o respeitava. Ele era um homem fraco, mesquinho. Para ele, era muito importante que eu triunfasse na vida."

"A loucura", refletiu Ron, "estava em toda parte. Três crianças competindo por atenção, falando. Minha mãe falando sem parar. Meu pai humilhando-a. Cada um desempenhava um papel. Brigas e gritos. Era caótico. Não havia sentido, nenhuma filosofia, nenhum significado, nenhuma estrutura nem qualquer plano na vida deles."

E Ron também tinha consciência de que sua mãe tentara seduzi-lo. "Eu era o receptáculo de sua afeição", recordou ele. "Ela me levava bolinhos na escola. Mas também se irritava comigo e batia em mim."

Ron conservou sua sanidade mental reprimindo todos os seus sentimentos. Outro irmão foi menos feliz; tornou-se esquizofrênico. Ainda assim, Ron também pagou um preço para conservar a sanidade mental – a perda de sua

Narcisismo

vivacidade, de seus sentimentos. Escapara à loucura de sua família fechando-se no próprio corpo, onde ninguém poderia atingi-lo. Mas, já adulto, descobriu que não podia sair – que estava fechado e estanque. Seu corpo tornara-se uma máquina – robusta, sólida e eficiente, mas incapaz de qualquer movimento espontâneo. Para Ron, eliminar a rigidez e o controle criava um risco: sua defesa contra a loucura poderia desmoronar. Isso não aconteceria, mas Ron não tinha certeza. Numa ocasião, durante a terapia, sua cólera irrompeu, após o que ele desfrutou de um breve período de bem-estar, com sentimento sexual. Embora isso não tivesse durado muito, reforçou o incentivo para que ele quebrasse a concha em que estava encerrado e experienciasse a vida.

PADRÕES DE PUERICULTURA

É comum os adultos não ignorarem os horrores e terrores que impregnam a vida de tantas crianças. Embora eles próprios tenham conhecido alguns desses horrores, é possível que, à semelhança de Ron, tenham desligado qualquer ressonância emocional. Em conversas acerca dos diferentes padrões de puericultura, eles medem lógica e friamente as vantagens e desvantagens para os pais, mas ignoram o impacto sobre a criança. Recentemente, estive numa festa onde havia um jovem casal esperando seu primeiro filho. Surgiu uma discussão sobre se a mãe deveria ficar em casa com a criança ou voltar ao trabalho o mais cedo possível. A questão não girava em torno das necessidades financeiras do casal, mas do prosseguimento da carreira da mãe. A futura mamãe estava indecisa quanto à escolha. Ela ocupava uma posição importante no mundo empresarial. Muitas de suas amigas tinham voltado ao trabalho pouco depois do nascimento dos filhos. Uma mulher, por exemplo, era uma executiva atarefada durante o dia e, à noite, uma mãe frenética que gritava com seu filho pequeno. A discussão concentrou-se então em como era difícil para uma mulher ter paciência com o filho após um dia de pressão no escritório. Mas ninguém expressou compaixão por uma criança que está constantemente exposta à conduta agitada, quando não desvairada, de uma mãe. E ninguém se mostrou perturbado por um estilo de vida em que o interesse da mãe podia conflitar com os interesses de seu filho. Na minha opinião, isso é um grande horror.

Cumpre lembrar que o que é horroroso para uma criança pode não sê-lo para um adulto, cuja mente refinada aprende melhor a realidade. Um exemplo que me vem à mente é a sala de cirurgia de um hospital. Com toda a certeza, uma criança pequena que presenciasse uma intervenção cirúrgica ficaria horrorizada com a cena, vendo pessoas com máscaras em pé ao redor de uma mesa e calmamente retalhando e abrindo o corpo da pessoa impotente nela deitada. Como pode uma criança pequena conceber que essa pessoa não sente dor nenhuma ou compreender que esse procedimento destina-se a salvar uma vida? Em contraste, um observador adulto poderá sentir grande respeito em face da proeza técnica que uma cirurgia importante representa. Presenciar tal cena sem uma sensação de horror ou de espanto exigiria, creio, uma negação total de sentimento. Quando era médico residente e assisti a algumas operações, tive dificuldade de desligar-me e de ficar indiferente à situação, embora compreendesse o procedimento e sua necessidade. E, quando assisti a partos e observei o obstetra retirando o bebê do corpo da mãe com fórceps, senti horror. Embora esse método fosse quase rotineiro no hospital onde eu atuava como residente, era-me impossível compreender sua necessidade, pois também assistira a partos em que se envidavam todos os esforços para evitar trauma ou violência contra a mãe e o bebê. Observar um parto natural, com a mãe consciente, inspira reverência. Idealmente, eu gostaria de ver todos os bebês nascerem em casa, que é um ambiente mais natural do que um hospital. O parto domiciliar, penso eu, propiciaria a ambos os pais uma melhor noção da realidade da paternidade e da maternidade do que o parto em hospital.

A etapa natural seguinte é amamentar a criança ao seio. Parece tão certo o ato de uma mãe amamentar um bebê. Boca e mamilo são tão obviamente feitos um para o outro; o ajuste é perfeito! Esse conceito de ajustamento e adequação é básico para a nossa noção de realidade. Observar um pássaro voando ou um peixe nadando faz sentido para nós. Acredito que nós e outros organismos nascemos com um senso de adequação das coisas, proveniente da história evolutiva das espécies. Um filhote de pássaro, saindo do ovo, já traz no corpo a expectativa de que haverá uma mãe para alimentá-lo, aquecer e proteger. Essa é a realidade da vida das aves. Do mesmo modo, um recém-nascido humano tem a expectativa biológica de que uma mãe humana esteja disponível, assim como as mães humanas têm estado por incontáveis eras.[35]

Assim, os bebês esperam que haja um seio disponível para sua alimentação; estão programados para mamar desde o momento em que nasceram. Essa expectativa pode ser satisfeita em parte por uma mamadeira com um bico de borracha. Entretanto, o impulso – e, aparentemente, a necessidade – de sugar é tão forte que os bebês alimentados à mamadeira complementarão a mamadeira chupando o polegar. Eu nunca vi um bebê alimentado ao seio fazer isso se a amamentação foi levada a efeito por tempo suficiente. A sucção fornece ao bebê uma sensação de segurança, mas também propicia melhor respiração.

Outra expectativa biológica do recém-nascido é a de estar próximo do corpo da mãe. A importância desse contato físico foi claramente demonstrada pelos hoje famosos experimentos com macacos feitos por Harry Harlow.[36] Ele provou que os filhotes de macaco privados desse contato não se desenvolviam normalmente e eram psicologicamente perturbados. De acordo com numerosos estudos, em bebês humanos a falta de proximidade física com a mãe ou a substituta materna tem efeitos semelhantes. Os bebês ficam deprimidos e perdem a capacidade de responder emocionalmente às pessoas.[37]

A privação parece afetar o desenvolvimento emocional de uma criança do mesmo modo que o horror. Teriam ambas as situações algo em comum? Em minha opinião, elas conflitam com a noção inata do indivíduo da ordem natural das coisas. Ambas contêm um elemento de irrealidade que as torna incompreensíveis. Nenhum bebê ou criança pequena pode compreender a ausência de resposta às suas necessidades por parte de uma mãe ou de um pai. A noção de realidade da criança é perturbado. Ela se sente como um peixe fora d'água quando chora e luta por restabelecer o ambiente esperado. Se a privação não constitui uma ameaça à vida, ela se ajustará. A privação é aceita como uma nova realidade, mas só depois que a criança travou e perdeu a batalha por um direito humano.

Uma das maneiras de fazer as crianças se ajustarem à nova ordem consiste em "deixar que chorem até que se cansem". A mãe coloca a criança no berço à noite para que durma. É hora de dormir. Mas o sentimento de solidão e a perda de contato com o corpo da mãe aterrorizam a criança, que começa a gritar e a chorar. Nenhuma mãe animal deixaria de responder ao choro de um bebê. Algumas mães humanas acreditam, porém, ser errado fazê-lo. Ceder ao choro do bebê significa estragá-la com mimos. Além disso, foi-lhes dito que chorar é bom para a criança. Fortalece-lhe os pulmões. Assim, não há resposta alguma e o bebê continua chorando.

Na primeira vez em que isso acontece, a criança poderá chorar horas a fio antes de cair no sono, exausta. Se o mesmo procedimento é repetido na noite seguinte, ela não chorará por tanto tempo antes de adormecer. A mãe poderá pensar que a criança aprendeu a lição, mas, na verdade, ela não tem energia para repetir o desempenho da véspera. O sono chega mais depressa porque a exaustão se instala mais rapidamente. Depois de várias experiências desse tipo, a criança aprende a renunciar à luta pelo contato com a mãe. Com efeito, ela eliminou o anseio por esse contato e, assim, deixa de sentir a dor da frustração. Foi aceita uma nova realidade, na qual o desejo de intimidade e proximidade não se expressa. Estabeleceram-se os alicerces para o narcisismo e a personalidade de fronteira.

Os pais podem, também, reagir violentamente ao choro de um bebê. Vi uma mãe bater numa criança para que parasse de chorar. Ameaças de abandono ou castigo são utilizadas. Na maioria dos casos de maus-tratos a crianças, a violência é deflagrada pelo choro. Não é uma insanidade? É como deitar lenha na fogueira para impedir que ela arda. Entretanto, alguns pais parecem ficar tresloucados com o choro dos filhos. Não o suportam porque ele evoca seu próprio choro suprimido, e agredirão a criança tal como foram agredidos quando eram pequenos. Tais situações inspiram terror e horror à criança. O horror pode manifestar-se em pesadelos que parecem "tolos" para seus pais. Aos olhos dela, os pais converteram-se em monstros. Como adultos, talvez não vejamos essa monstruosidade porque, tal como os adultos na história da roupa nova do imperador, fomos seduzidos ou ameaçados para negar a verdade.

O CASO DE MARGARET

Já mencionei o horror que pais que gritam e brigam inspiram à criança. Existe um horror igual nos lares em que todos os sentimentos são negados e recebem o verniz de "nós somos uma família feliz", como verifiquei recentemente ao atender uma mulher jovem.

Margaret queixava-se de falta de sentimento sexual. Ela sentia que a pelve estava envolta numa cinta de aço. Como é necessário entender a origem de uma tensão antes que a pessoa possa descarregá-la, pedi a Margaret que descrevesse sua infância. "Só tenho boas recordações da minha infância", disse-me ela. "Minha mãe e meu pai nunca brigavam. Eram muito calmos e nunca erguiam a voz zangados. Simplesmente os sentimentos não eram expressos." Margaret admitiu que nesse clima achava difícil expressar cólera ou até mesmo chorar. Na família, nunca se fez qualquer menção ao assunto. A atitude parental era rigidamente religiosa, mas nunca houve pregação contra o sexo. Como explicar o corte radical de sentimento sexual em Margaret?

Narcisismo

Ela me contou que, durante um período em sua vida, fora muito livre sexualmente e orgástica. Isso foi após a dissolução de seu primeiro casamento. Durante mais de um ano, foi sexualmente promíscua e deveras desinibida em sua atividade sexual. Afirmou que desfrutava de múltiplos orgasmos. Depois, encontrou um homem que se tornou seu segundo marido. De início, o sexo com ele foi excitante, mas quando o relacionamento se aprofundou e eles casaram a libido dela diminuiu e acabou por desaparecer. Essa falta de sentimento sexual também caracterizara suas relações com o primeiro marido.

A aparência de Margaret impressionou-me: ela parecia uma professora primária formal e pudica. Os grandes óculos em seu rosto pequeno, redondo mas inexpressivo, corroboravam essa impressão. E harmonizavam-se com sua falta de sentimento sexual. Entretanto, Margaret sabia existir outro lado em sua personalidade por trás da fachada puritana.

Para mim, a paciente tinha mais dupla personalidade do que uma personalidade dividida que caracteriza o estado esquizoide ou esquizofrênico. Na personalidade dividida, os dois aspectos estão presentes ao mesmo tempo, enquanto na dupla personalidade apenas um ou outro pode ser visto de cada vez. Se Margaret fosse esquizoide, sua aparência austera teria sido desmentida por um comportamento frívolo e impudico. Sempre nos aperceberíamos da divisão. Ela, contudo, só podia ser um ou outro. Como mulher casada, respeitável e recatada, ela não tinha sentimentos sexuais. Quando se despojava desse papel ou saía detrás da fachada, era uma pessoa diferente. Vendo um aspecto, era difícil imaginar o outro. Era uma combinação Dr. Jekyll-Mr. Hyde.

A personalidade da criança é modelada pela personalidade de seus pais. Como mulher casada, Margaret identificava-se com a mãe, que apresentava a mesma aparência pudica. E quanto ao pai? Quando a indaguei sobre ele – que trabalho ele fazia, por exemplo – fiquei surpreso com a resposta. "Ele é um especialista em abrir cofres", disse ela. Antevi outra dupla personalidade, mas Margaret apressou-se em dizer que o pai não era criminoso. Seu trabalho envolvia a instalação e manutenção de cofres. Mas, pelo comentário de Margaret, que sugeria o arrombamento de cofres, imaginei a cinta de aço em torno de sua pelve como uma espécie de cinto de castidade – que ela usava enquanto casada e descartava quando livre. A tensão pélvica conservava-a segura como um cofre – segura para o marido. Tal tensão eliminava todo seu desejo sexual e evitava assim a atuação dos impulsos sexuais. Mas não era o marido o responsável pelo cinto psicológico de castidade. Essa tensão muscular desenvolve-se na infância em consequência da situação edipiana.

Por que Margaret chamou seu pai de abridor de cofres e não de instalador de cofres? Considerada um ato falho freudiano, seu comentário sugere que ele, e só ele, podia arrombar o cofre; que ele tinha a chave para a verdadeira sexualidade dela. Num nível de sua personalidade, Margaret pertencia ao pai. Ela podia amar outro homem, mas, se o fazia, não podia ter por ele qualquer sentimento sexual. Podia fazer sexo com outros homens, mas não amá-los. Somente com seu pai seu amor e sua sexualidade se combinavam. Mas isso foi antes de colocar o cinto de castidade, antes de se sentir culpada a respeito da natureza incestuosa de sua relação com o pai. Quando essa culpa se desenvolveu, ela reprimiu os sentimentos sexuais pelo progenitor, retendo em nível consciente apenas seu amor por ele. Como os homens com quem ela casou substituíram o pai em sua afeição, Margaret não podia permitir que viesse à tona qualquer sentimento sexual por eles.

No início da terapia, Margaret estava inteiramente inconsciente de que existisse um elemento sexual em sua relação com o pai. Negou ter tido quaisquer sentimentos sexuais por ele, embora fosse inteligente para reconhecer que tais sentimentos teriam sido normais. Paradoxalmente, foi ao discorrer acerca das relações com a mãe que ela ganhou consciência acerca deles.

A discussão começou num seminário de que Margaret participou. Ao apresentar seus problemas a um grupo de terapeutas, observei que Margaret estava algo fora de contato com seu próprio *self*. Um dos participantes comentou que Margaret parecia estar em estado de choque. Ela replicou que não se sentia assim. Concordei com ela e sugeri que sua situação era mais a de quem estava aturdida do que chocada. Sim, corroborou ela, isso lhe parecia corresponder melhor à verdade.

Que horror a aturdia durante a infância? Nesse ponto, eu só podia conjeturar que seria uma atmosfera familiar de irrealidade. Quando comentei que sua família podia ser tudo, menos feliz, Margaret recordou que a mãe insistia em que todos sorrissem e parecessem felizes, acontecesse o que acontecesse. Então, ela mostrou como a mãe costumava sorrir – era como se uma gárgula sorrisse. A boca escancarada, mas a parte superior do rosto permanecia imóvel, gélida. Essa era também a expressão de Margaret quando tentava sorrir. Tornou-se óbvio que Margaret se identificava com a mãe e que ambas eram pessoas infelizes. A tentativa de encobrirem a dor com um rosto feliz

Narcisismo

dava-lhes um aspecto irreal, gargulesco. Para uma criança, o horror que reside na negação de sentimento é muito evidente. Quando criança, Margaret vira a dor da mãe, apesar dos esforços desta para negá-la. Ela estava confusa com uma manobra que lhe parecia absurda.

Assim que Margaret reconheceu a infelicidade da mãe, tornou-se possível desvendar a situação real entre seus pais. Sua cordialidade era simulada. Havia pouca afeição e pouco sexo entre eles. Margaret compreendeu então que o pai concentrara grande parte de seu sentimento sexual nela, embora negando qualquer interesse sexual ostensivo pela filha. Margaret estava numa sinuca de bico. O interesse do pai excitava-a sexualmente, mas, ao mesmo tempo, ela sofria em virtude do desgosto da mãe por causa disso. Como a sexualidade não era abertamente aceita pelos pais, ela sentia-se muito culpada a respeito de seus sentimentos. Via-se como responsável pela situação e reagiu reprimindo quaisquer sentimentos sexuais pelo pai. Assim, Margaret tornou-se uma "boa" menina, a menina dos olhos dos pais, fazendo o jogo de negação da realidade.

Para quebrar o domínio dessa negação sobre a personalidade de Margaret, era necessário confrontá-la com uma realidade que a devolvesse à verdadeira sanidade mental. Essa realidade era o efeito que seu rosto podia ter sobre o próprio filho. Imitei o sorriso dela, para que Margaret pudesse ver sua qualidade gargulesca. Depois, fiz que se olhasse num espelho para ver o aspecto de seu rosto. Ela ficou chocada ao perceber como tal sorriso parecia monstruoso e reconheceu o horror que causaria a uma criança. Compreendeu então que estava fazendo inconscientemente a seu filho o mesmo que a mãe lhe fizera. Essa compreensão abriu a porta para seus sentimentos e permitiu-lhe trabalhar lentamente com seu problema narcisista até resolvê-lo.

Venho sugerindo ao longo deste livro que existe certa relação entre narcisismo e insanidade mental. Vimos que há certo grau de irrealidade nos narcisistas que poderia pôr em dúvida sua sanidade. Até este ponto, expliquei a negação narcisista de sentimentos porque estes são inaceitáveis, contradizendo, como de fato o fazem, a imagem projetada. Existe, creio eu, uma razão mais importante para negar os sentimentos: o medo de que a insanidade mental possa irromper e esmagar o ego.

7. O medo da insanidade

Existirá potencial para a insanidade mental em todos os narcisistas? Vimos no capítulo precedente que a experiência de horror leva uma pessoa a pôr em dúvida sua lucidez. Ela vivencia algo absurdo, que não condiz com a imagem que ela tem da realidade – a qual até mesmo um bebê carrega em nível biológico. Para evitar a confusão mental daí resultante, a pessoa deve dissociar e negar todos os sentimentos relacionados com a experiência. Ou seja, ela deve eliminar todo o sentimento. Enquanto se mantiver aferrada à lógica, estará segura. Mas os sentimentos são vida e é impossível evitar por completo as experiências emocionais, por mais friamente que lidemos com elas. Todo narcisista tem medo de enlouquecer, pois o potencial para a insanidade está em sua personalidade. Esse medo reforça a negação do sentimento, criando um círculo vicioso.

O CASO DE BILL

Bill, psiquiatra de meia-idade, consultou-me acerca de uma depressão de baixo grau que ele tinha havia muitos anos, apesar de terapia intensiva. Seu corpo estava pesado, sem muita vida, e seu rosto apresentava uma expressão derrotada, a qual se devia sobretudo ao queixo retraído que pendia frouxo. Captei em seus olhos um misto de tristeza e medo. Bill, entretanto, afirmou que, embora já tivesse experienciado certa melancolia, nunca sentira medo. Isso me pareceu tão incomum que suspeitei de que ele estivesse negando tal sentimento.

Perguntei a Bill se já estivera alguma vez numa situação assustadora. Sim, ele recordou um incidente, alguns anos atrás, que podia ter sido assustador. Estava num automóvel com um amigo, também psiquiatra, rodando por uma rua da cidade, e pararam para apanhar um carona. O homem parecia um pouco esquisito, mas, sendo psiquiatras, acharam que poderiam dominar qualquer situação. A cerca de um quilômetro da cidade, o carona, que estava sentado no banco traseiro, empunhou uma pedra que levava consigo e agrediu

Bill e seu amigo na cabeça. Bill contou que desmaiou, pensando: "Sou um homem liquidado. Ele vai me matar". Seu amigo, que dirigia, parou o carro. Então o carona murmurou: "Desculpe, desculpe", e não fez esforço algum para continuar a agressão ou para fugir. Finalmente, foi levado pela polícia. A essa altura, já era óbvio que o homem era maluco. Bill e o amigo foram levados a um hospital para cuidar dos ferimentos, o que exigiu muitos pontos. "Mas", garantiu-me Bill, "não senti medo."

Uma vez que, em geral, tal situação provocaria medo, pode-se presumir que Bill estava negando ou bloqueando o sentimento – inconscientemente, é claro. A maioria dos rapazes sente algum medo do pai por causa do conflito edipiano, de modo que perguntei a Bill como tinham sido suas relações com o progenitor. Ele o descreveu como um homem forte e violento que costumava agredi-lo. "Como ele batia em você?", perguntei. "Chicoteava-o?" "Não", respondeu Bill, "ele costumava me dar socos na cabeça." "E você, o que fazia?", indaguei então. "Tentava proteger a cabeça com os braços", explicou Bill, "mas ele continuava batendo até que eu caísse no chão." Embora o pai de Bill não fosse psicótico, seu comportamento para com o filho era de certo modo insano. Como era estranho que Bill sofresse uma agressão semelhante de um indivíduo insano na idade adulta!

Igualmente estranha, porém, era a completa incapacidade de Bill de responder a uma agressão. Uma vez atingido, era abatido por um estado de impotência. Mesmo agora, ao contar essas histórias, Bill não sentia cólera. Negava-a tanto quanto seu medo. Adotava, ao contrário, uma atitude de submissão e tentava compreender o comportamento irracional de seu pai e dos outros. Sua submissão ao pai pode tê-lo mantido a salvo, mas quase lhe custou a vida no incidente posterior.

Bill não era um homem fraco fisicamente. Tinha um corpo musculoso e mãos grandes. Quando jovem, não conseguia competir com o pai, mas, quando ficou mais velho e mais robusto, provavelmente o teria derrotado numa briga. Muitos homens relatam que, quando tinham seus 18 ou 19 anos, cessavam a violência dos pais enfrentando-os. Essa ideia, porém, era inteiramente estranha a Bill, embora reconhecesse que teria sido possível. Sua incapacidade de revidar ou resistir poderia ser explicada dizendo-se que ele estava aterrorizado (ainda que o negasse). E, tendo em vista as surras que recebeu do pai, devemos supor que havia em Bill suficiente cólera para matar. A raiva homicida parece estar presente em todos aqueles que foram espancados na infância.

Contudo, como adulto, Bill manteve essa cólera suprimida, porque expressá-la significaria que ele estava tão louco quanto seu pai "maluco". Para proteger sua sanidade mental, Bill tinha de renunciar à sua cólera. Ele estava decidido a não enlouquecer (não encolerizar-se). Bill acreditava que, se perdesse a cabeça, poderia matar alguém. Mas perder a cabeça equivale a enlouquecer. Bill estava aterrorizado com a loucura potencial em si mesmo, tal como estava com a dos outros. Quando lhe fiz essa interpretação, ele comentou: "Agora sei por que me tornei psiquiatra".

Minha interpretação não foi pura conjetura, já que pude sentir a tensão nos músculos na base do crânio de Bill. Ele também estava consciente dessa tensão que o fazia conter a cólera. Para testar a minha hipótese, propus a Bill aplicar um leve golpe de caratê na base de seu crânio enquanto sua cabeça estivesse curvada. Ele concordou, mas, quando ergui a mão, ele ergueu os olhos para mim e disse: "Estou com medo". Foi a primeira vez que admitiu esse sentimento, o que representou um avanço importante.

A EXPLOSÃO DO PSICOPATA

Bill estava em contato com sua loucura potencial e a temia. Ele não perdia a cabeça porque pressentia ser capaz de matar. Mas outros narcisistas, cujo ego é mais fraco, são incapazes de conter seu ódio homicida. O que em Bill era um potencial para a insanidade torna-se um ato de insanidade no assassino psicopático.

David Berkowitz, também conhecido como "Filho de Sam", matou seis pessoas e feriu outras sete, nenhuma das quais ele conhecia pessoalmente. Quando foi por fim descoberto e preso, atribuiu suas ações a demônios que, afirmou ele, lhe ordenavam que cometesse os homicídios. Sua sanidade mental dependia de apurar se as vozes eram alucinações psicóticas ou se ele as inventara para evitar a responsabilidade por suas ações. Dois psiquiatras declararam-no insano. Todavia, o psiquiatra contratado pela promotoria e o juiz decidiram que Berkowitz era mentalmente são. Claro, um tribunal não pode adotar a posição de que um réu é, ao mesmo tempo, são e insano. Mas esse é quase sempre o caso.

David Abrahamsen, o psiquiatra da promotoria, afirmou: "Berkowitz mostrou-se perspicaz, perceptivo e muito inteligente"[38]. Aqueles que o conheceram descreveram-no como "igual a qualquer outra pessoa". Era considerado cortês e solícito por suas colegas e tido como "bom funcionário, merecedor de confiança". Porém, ele perseguiu e matou diversas mulheres, o que não se pode considerar o comportamento de alguém são. É evidente que Berkowitz tinha uma personalidade dividida ou o que poderia ser chamado, mais propriamente, de dupla personalidade. Uma personalidade atuava e comportava-se como qualquer outra pessoa; a outra era um monstro, no estilo de Dr. Jekyll-Mr. Hyde.

Abrahamsen concluiu que Berkowitz "tinha um distúrbio de caráter com muitos traços histéricos misturados – decorrentes da necessidade de chamar a atenção para si, de se tornar mais importante do que é". Segundo Abrahamsen, o motivo de Berkowitz para matar mulheres era provar seu poder sobre elas. Ele era impelido por "fortes pulsões sexuais reprimidas. Tinha medo de mulheres e temia ser rejeitado por elas". Ele não se atrevia a abordá-las sexualmente. "A arma foi a sua solução. Ele podia demonstrar arrasadoramente seu poder sem tocar nelas, sem ser rejeitado por elas."[39]

Mas, ainda que consideremos válida a análise de Abrahamsen do motivo de Berkowitz, ela não explica a necessidade de matar. Segundo a minha tese sobre distúrbios narcisistas, eu diria que Berkowitz alimentava uma cólera homicida contra as mulheres, a qual era negada e suprimida. Sob estresse, porém, ele explodia. Seus controles desmoronavam, a cólera vinha à superfície e ele saía para matar. Nesse momento, não poderia ser descrito como um indivíduo mentalmente são.

É muito comum, nos dias de hoje, lermos ou ouvirmos no noticiário que alguém foi tomado de uma fúria cega e matou certo número de estranhos contra quem não podia existir animosidade pessoal. Na Flórida, por exemplo, um homem matou recentemente sete ou oito pessoas, a sangue-frio, com uma espingarda de caça. Eram empregados de uma empresa que, acreditava ele, o tinham maltratado. Após esse banho de sangue, o homem saiu, pedalando calmamente em sua bicicleta. Em outro caso, um indivíduo subiu num telhado e, com pontaria implacável, matou vários transeuntes na rua. Até hoje não foi descoberto qualquer motivo para esses disparos. O homem foi morto pela polícia. Seus antecedentes não indicavam que fosse perigoso. Ele simplesmente enlouqueceu.

Mas como pode alguém aparentemente são enlouquecer de súbito? Isso não faz sentido. Deve existir alguma falha na personalidade dessas pessoas, alguma fraqueza prévia em seu ego. Poderíamos comparar isso a uma falha geológica que existe no subsolo sem que dela se suspeite, até que um terremoto violento destroça a superfície. Sabemos, hoje, que os sismos não ocorrem ao acaso. E também podemos ter certeza de que as pessoas saudáveis não enlouquecem de repente e saem matando. Porém, os terremotos têm um detonador. Qual é, pois, a dinâmica que precipita uma pessoa aparentemente sã numa ação insana? Por trás da falha na estrutura da personalidade do indivíduo, deve existir alguma força subconsciente que, quando acumula suficiente pressão, irrompe em ação destrutiva. Essa força é o sentimento negado de cólera. Dado que a cólera é negada, ela não é experienciada, o que daria à pessoa certo controle sobre ela. Em nível subconsciente, ela é sentida como um elemento potencialmente perigoso, que deve permanecer enterrado. Cabe ao ego a função de vigiar essa força perigosa. Infelizmente, há uma falha em sua estrutura, oriunda de sua dissociação dos sentimentos corporais. Essa divisão caracteriza o distúrbio narcisista e explica por que, em casos graves, essa estrutura de personalidade pode sofrer um abalo furioso. É interessante assinalar que os homicidas psicopatas são sempre descritos como pessoas "amáveis" ou "boas" por aqueles que os conhecem no cotidiano. Essa é a fachada que eles apresentam para esconder seus sentimentos, mas que aumenta a sua tendência a explodir.

A INUNDAÇÃO DE SENTIMENTO

Não nos é possível saber quando uma explosão ocorrerá. Quando ela acontece, porém, podemos traçar a sequência de fatos. Um surto impetuoso de sentimento emerge do inconsciente, avança através da falha e inunda a mente consciente. O sentimento é tão forte que o ego não consegue controlá-lo ou ao comportamento subsequente. Tais erupções ocorrem em muitas pessoas normais e, embora a explosão seja, na aparência, violenta, não é ostensivamente destrutiva. O indivíduo tem suficiente percepção do *self ou* controle do ego para sustar a ação antes que ocorra qualquer dano sério. Ele tem consciência do que está acontecendo. Todos nós podemos "perder o controle" momentaneamente mas, mesmo quando isso acontece, mantemos nosso domínio da realidade. Sabemos que estamos um pouco descontrolados. Mas, nas pessoas perturbadas, a erupção pode ser tão forte que elas perdem o contato com a realidade e não se dão conta de seu descontrole. Em ambos os casos o ego é sobrepujado; porém, em um é momentâneo, ao passo que no outro perdura por tempo considerável.

"Inundação" é a palavra significativa. Em psicologia, é usada para descrever a condição de uma pessoa assoberbada por um sentimento ou excitação.

O ego ou mente perceptiva é temporariamente afogado na torrente de sensação. Imaginemos um rio que transborda e inunda todos os campos circundantes, obliterando as fronteiras normais entre terra e água. De modo semelhante, o jorro de sentimento apaga as fronteiras normais do *self*, tornando difícil distinguir a realidade interna da externa. A realidade torna-se confusa e nebulosa. Com uma inundação fluvial, tem-se a sensação de água por toda a parte, sem terreno sólido onde se possa pisar. No caso de uma ruptura psicótica, como é denominada essa sequência de fatos, tem-se a sensação semelhante de que não há nada de sólido onde agarrar-se. A pessoa sente-se "no mar", profundamente desgarrada e estranha.

O alheamento é uma forma de desorientação. Nada parece familiar e, assim, é difícil se orientar no tempo e no espaço. Mas o alheamento não precisa ser necessariamente uma experiência desagradável. Aquele que comete um ato tresloucado é sobrepujado pela cólera. No entanto, podemos ser também dominados pela excitação agradável. Eu próprio me recordo de ter tido essa experiência em duas ocasiões. Uma foi aos 5 anos de idade, quando meu pai me levou ao famoso parque de diversões de Coney Island. Eu estava tão empolgado com os movimentos, as luzes e os sons que seria incapaz de dizer se estava num país de contos de fadas ou em um lugar real. A outra experiência ocorreu quando eu andava por volta dos 7 anos. Estava observando meus amigos praticando um jogo que me pareceu muito divertido. Eu não conseguia parar de rir e então, de súbito, não conseguia dizer se estava desperto ou sonhando. É o tipo de situação em que a pessoa precisa beliscar-se para ver se está acordada. A dor do beliscão devolve-nos a consciência do corpo, o que restabelece as nossas fronteiras e nossa percepção do *self*.

Porém, se a sensação avassaladora não é agradável, o sentimento de alheamento pode ser deveras assustador. Tanto podemos ser dominados pelo sofrimento como pela alegria, tanto pelo ódio quanto pelo amor. A desorientação resultante poderá parecer um pesadelo do qual nunca despertaremos. Perdemos o contato com a realidade; não há equilíbrio.

Não obstante, na maioria dos casos, independentemente da natureza das sensações, a pessoa regressa ao seu estado normal quando e à medida que a inundação reflui. As fronteiras restabelecem-se e a percepção da realidade é restaurada. O ego volta a exercer o controle. Mas, se a inundação não recuar, se o sentimento de alheamento persistir, o ego será ainda mais enfraquecido, a ponto de nunca mais recuperar o controle. A realidade permanece vaga e incerta. Nesse caso, a pessoa pode precisar de tratamento para recuperar a sanidade mental.

A recuperação de uma ruptura psicótica costuma ser mais rápida quando há uma descarga do afeto ou sentimento. Expelir vapor reduz a pressão. Para os não iniciados, observar uma pessoa "explodindo" pode ser assustador. Mas com um terapeuta experiente, que entende a dinâmica energética envolvida, a descarga aparentemente irracional e violenta de sentimento pode ter um efeito muito positivo sobre o paciente. Bárbara foi um bom exemplo.

O CASO DE BÁRBARA

Bárbara foi levada pela primeira vez ao meu consultório por seu marido, quando ela se encontrava num estado de insanidade temporária. Fora internada alguns anos antes como esquizofrênica. Na primeira vez em que a vi, ela estava bastante descontrolada, gritando e batendo em tudo ao redor. Não pude estabelecer qualquer contato com ela por meio das palavras, de modo que a enlacei vigorosamente em meus braços e mantive-a assim bem apertada. Rolamos ambos pelo chão, enquanto ela continuava gritando e gritando. Continuei a segurá-la com firmeza. Isso durou uns 15 ou 20 minutos. Depois, tudo serenou, como uma trovoada. Bárbara acalmou-se e consegui falar com ela. Simplesmente, explicou ela, seus sentimentos tinham-se aguçado mais do que podia suportar; precisava descarregá-los. Compreendi a sua situação. Agora, a tempestade terminara e ela sentia-se segura. Voltou para casa com o marido e eu não me preocupei com o seu estado.

Em sua terapia subsequente comigo, tentei ajudar Bárbara a entrar em contato com seus sentimentos e a expressá-los. Ambos estávamos conscientes da violência latente em sua personalidade. Aterrorizava-a a ideia de que a violência irrompesse e ela perdesse o controle. Entretanto, sua experiência inicial comigo mostrou-me que a descarga de excessiva pressão por meio de uma ruptura temporária não era tão perigosa, e Bárbara tornou-se mais forte por meio dessa experiência. Durante anos, ela tivera numerosos acessos de grito em casa, os quais (com atitudes tranquilizadoras e de apoio por parte do marido) a ajudavam a descarregar a tensão interior que a tinha levado à beira da loucura. Felizmente, Bárbara não tinha filhos, porque, embora tal comportamento pudesse fazer bem a ela, não poderia ser compreendido por uma criança que seria traumatizada pela exposição a semelhantes cenas. Faz agora 25 anos que conheço Bárbara. Ela se tornou cada vez mais real, mais saudável, mais em contato com seus sentimentos e mais "gente". Estou convencido de que a descarga da pressão acumulada em seu corpo contribuiu imensamente para sua saúde e sanidade mental.

O DIREITO DE SENTIR ÓDIO

Em *Medo da vida*, assinalei como a língua inglesa equipara o ódio devastador à insanidade. Usamos uma só palavra para denotar ambos os estados – *mad*. Dizer que uma pessoa está *mad* significa que ela está louca ou encolerizada. Isso nos diz que o ódio não constitui uma emoção aceitável. As crianças são ensinadas desde muito cedo a dominar sua cólera; com frequência, elas são punidas se, no decorrer de uma reação colérica, agridem alguém. Exorta-se que as discussões devem ser resolvidas amistosamente e com palavras. O ideal é que a razão prevaleça sobre a ação.

Mas nem sempre os conflitos são resolvidos amigavelmente, com argumentos. Os ânimos podem exaltar-se. Não quero dizer que se tenha de recorrer à violência física para expressar um sentimento colérico. A cólera pode expressar-se num olhar ou num tom de voz. A pessoa pode afirmar com ressentimento: "Estou furioso com você". Algumas situações, porém, exigem a expressão física da cólera. Se alguém nos agride, pode ser apropriado responder na mesma moeda. Se a violência é usada contra mim, tenho o direito de usar violência em resposta. Sem o direito de revidar quando somos agredidos, sentimo-nos impotentes e humilhados. Já vimos o que isso pode causar à personalidade.

Acredito sinceramente que veríamos muito menos personalidades narcisistas se às crianças fosse permitido expressar seu ódio contra os pais sempre que elas sentissem ter uma queixa legítima. Conceder a elas esse direito mostraria um respeito genuíno por seus sentimentos e sua individualidade. No Japão, há alguns anos, vi uma menininha encolerizada batendo na mãe. A mãe ficou impassível e recebeu os golpes, não fazendo esforço nenhum para sustar ou repreender a filha. Os japoneses, até onde me foi dado saber, não acreditam em disciplinar as crianças antes dos 6 anos de idade. Até essa idade, elas são consideradas inocentes, devendo ser poupadas do conhecimento do que é certo e errado. Depois dos 6 anos, são ensinadas a se comportar apropriadamente, sendo a vergonha a arma disciplinar. Apesar da liberdade manifestada em relação às crianças muito pequenas – ou por causa disso – as crianças japonesas são conhecidas como bem-comportadas, obedientes e respeitosas para com os pais. Para os japoneses, o bom comportamento é socialmente determinado e o poder pessoal nunca é uma questão que lhes ocorra debater no relacionamento com crianças. Mas raríssimos pais americanos permitiriam isso; pressentem que, se o fizessem, estariam minando seu poder sobre os filhos. Além disso, tendo negado à criança o direito de externar seu ódio, também os pais são impedidos de expressar tal sentimento. Incapazes de expressar cólera adequadamente, os pais recorrem à punição, considerada por eles um exercício legítimo de autoridade parental. Pode haver espaço para a punição na criação dos filhos, mas, em muitos casos, ela serve como disfarce para os pais descarregarem sua ira e cólera suprimidas. A criança, sendo indefesa e dependente, tem de aceitá-la ou correr o risco de incitar uma cólera ainda maior. O que acontece à personalidade de uma criança submetida a esse tipo de tratamento?

O CASO DE FRANK

Frank, um homem de 30 e poucos anos, consultou-me juntamente com seu terapeuta em virtude de sua incapacidade de expressar sentimento. Tinha um corpo musculoso e bem constituído – consequência, disse-me ele, de ter crescido e trabalhado numa fazenda. Também me informou que, na escola, tinha praticado luta livre. Em muitos aspectos, a história de Frank lembrou-me o caso de David, o paciente descrito no Capítulo 4 que também praticava luta livre. Ao que parece, os lutadores sabem receber golpes porque tiveram de apanhar muito.

Frank era o mais velho de cinco filhos. "Até onde consigo lembrar", relatou ele, "o jeito normal de meu pai se relacionar comigo era gritando, chamando-me de idiota e dizendo que eu 'nunca seria coisa melhor do que merda de macaco'. Também me batia sempre que eu fazia alguma coisa que o irritava – nos trabalhos da lavoura, na mesa de jantar e até quando eu estava dormindo. Certa vez, quando eu tinha 11 anos, surrou-me com um pedaço de mangueira de borracha até eu cair no chão pensando que ele ia me matar e sentindo que não me faltava muito para morrer. Minha mãe, que estava presente, disse-me: 'Frank, tente ser um bom menino e fazer o que seu pai lhe pede'". Frank descreveu o tratamento que recebera sem dar nenhuma mostra de emoção. É verdade que se tratava de uma consulta e ele queria resumir informações pertinentes sobre suas origens, mas essa falta de sentimento surpreendeu-me. Percebi que ele já tinha contado aquela história ao seu terapeuta.

A lembrança mais remota de Frank, segundo me disse, era a de ser "jogado para o alto, sentindo muito medo e vendo tudo negro e vermelho à minha volta". E prosseguiu: "Recordo um tempo, quando tinha uns 3 anos, em que ficava rolando pelo chão, tomado de profunda angústia, enquanto minha mãe me dizia que eu era um menino mau. Sentia-me oprimido, incapaz de correr ou de me afastar dela. Era como se estivesse possuído por um mau espírito". Essas experiências, como se pode esperar, teriam abalado qualquer criança. Mas Frank, tal como Bill, usava toda a sua força de vontade para superar a devastação que sofria.

Contou Frank: "No colégio e na universidade, eu era muito 'macho' e insensível. Depois de obter o mestrado em terapia psicológica, trabalhei num centro de saúde mental. Ao lidar com pessoas que estavam em dificuldades, percebi que eu mesmo não me sentia bem. Cheguei a um ponto em que, ao falar com um paciente, parecia que eu estava mirando um espelho. Dei-me conta de que necessitava de terapia, mas não foi fácil admitir que havia, de fato, algo errado comigo".

Bill tornou-se psiquiatra; Frank, terapeuta. Essas realizações significaram que toda a energia disponível fora canalizada para os estudos, nada restando para a vida do sentimento. Bill negou seu medo; Frank negou seus problemas. Felizmente, eles conseguiram, depois, enfrentar suas ansiedades. Na época em que conheci Frank, ele já passara por um período de terapia e tinha alguma compreensão de suas dificuldades.

"Tenho dificuldade de lidar com autoridades e com pacientes", explicou Frank. "Em relação aos primeiros, sinto terror e cólera, que hoje sei decorrer de minha experiência com meu pai. No caso dos segundos, sinto-me superior e atuo como se soubesse tudo. Também adquiri consciência de uma tremenda resistência para fazer qualquer coisa para mim mesmo. Pressinto uma forte provocação, um 'não conseguirei' que me bloqueia para quaisquer ações positivas. Entendo agora que me paraliso com medo do fracasso ou do êxito, que minto para mim mesmo a respeito de quem sou, mas não me permito sentir bem-estar por qualquer período. Tenho dificuldade de consentir que a intimidade se desenvolva sem uma máscara; suprimi meu ódio e minha ira. Sinto ansiedade toda vez que me permito ser flexível e afável. Propus-me aceitar os maus-tratos de maneira masoquista. Sinto que sou uma pessoa brilhante que faz coisas destrutivas a si mesma."

Fiquei chocado com a descrição de Frank sobre a brutalidade que sofrera em criança. A pergunta que surgiu em minha mente foi esta: por que ele não se tornou um assassino psicopático? Não tenho dúvidas de que ele poderia matar, mas, tal como no caso de Bill, eu estava convencido de que ele nunca concretizaria qualquer ato desse tipo. Frank tinha controle suficiente do ego. O defeito em sua personalidade era uma brecha, não um sismo. Apesar do horror de sua história, ele conseguira, de algum modo, evitar a insanidade. Era de presumir que, quando bebê, Frank tivesse tido o amor e o apoio da mãe. Outro elemento favorável era a ausência, pelo menos por tudo que pude depreender, do comportamento sedutor por parte dela. Não acredito que a sanidade mental de Frank houvesse permanecido relativamente intacta caso ele tivesse sido submetido a duas forças esmagadoras – a hostilidade brutal do pai e a sedução enganadora da mãe.

A consulta fora combinada para que eu ajudasse Frank a romper sua tristeza e cólera subjacentes. Ele não chorara profundamente em nenhuma de suas terapias anteriores. Para Frank, chorar era admitir que não conseguia suportar a situação. Foi provando que podia suportá-la que ele derrotara seu pai. Este podia derrubá-lo com pancadas, mas não consegui destruí-lo. Contudo, o preço que Frank pagou foi o desenvolvimento de uma rígida couraça corporal que bloqueou o curso das lágrimas. Além disso, sua fachada de "macho" impedia qualquer intimidade real com os outros e, assim, tornou sua vida relativamente vazia.

Com sua vasta experiência em aconselhamento e terapia, Frank compreendia a dinâmica de sua situação. Baseado nessa compreensão, usei um procedimento muito simples com Frank para ajudá-lo a chorar. Pedi-lhe que deitasse num banco bioenergético com as mãos estendidas para trás até alcançarem uma cadeira colocada atrás dele. Ficar deitado num banco nessa posição é cansativo e pode ser doloroso para uma pessoa cujo corpo está rígido. Para neutralizar o esforço e a dor, ela é forçada a respirar mais profundamente. A respiração profunda carrega o corpo com energia, já que introduz mais oxigênio nos pulmões. Por conseguinte, fica mais fácil ativar os sentimentos.

Enquanto Frank estava no banco, encorajei-o a emitir um som, pois ninguém pode chorar (soluçar) sem som. A instrução seguinte foi para ele sustentar o som até que o ar em seus pulmões fosse totalmente expelido. Deixar sair o ar todo age contra a tendência de retê-lo e facilita, assim, a expressão de sentimento. Quando se sustenta o som nesse exercício, chega a um ponto, perto do final da expiração, em que a voz esmorece. O som que resulta assemelha-se muito a um soluço. Então, se a pessoa conseguir permanecer no ponto de ruptura, inicia-se um verdadeiro soluço. O soluço inicial é como o pino de uma bomba. Uma vez dada a partida, o soluçar torna-se completamente involuntário, ficando cada vez mais profundo à medida que os sentimentos suprimidos de tristeza começam a fluir. Tal descarga só ocorrerá, porém, se a pessoa estiver disposta e preparada para que isso aconteça. Enquanto executava esse exercício, Frank desfez-se num pranto de profunda tristeza que me surpreendeu. Entre seus soluços, também exprimiu a dor e o ódio que sentia. "Como você teve coragem de fazer isso comigo?" gritou. "Oh, meu Deus! Por que você me magoou tanto? Odeio você!" O choro e as imprecações duraram vários minutos. Era de fato um avanço importante para ele.

Mas Frank precisava também de uma expressão mais completa de sua cólera. A menos que cedesse por completo ao ódio e sentisse que ela não sairia de seu controle, Frank não estaria livre do seu medo de "loucura". Não basta reconhecer esses sentimentos intelectualmente. Isso equivale a dizer: "Sim, eu sei que estou carregando uma granada de mão pronta a detonar". O conselho adequado é: "Livre-se dela, mas num lugar seguro". Em minha opinião, a situação terapêutica é o lugar certo para expressar e descarregar esses sentimentos. O paciente pode renunciar ao controle porque o terapeuta está no comando.

Peço aos pacientes que esmurrem a cama ou batam nela com uma raquete de tênis, com toda a força e a violência que puderem. Também são encorajados a expressar verbalmente seus sentimentos. Outra técnica consiste em fazê-los torcer uma toalha com toda a força enquanto estão deitados na cama. Eles podem acompanhar essa ação com frases como: "Como pôde fazer isso comigo? Odeio você. Sou capaz de matá-lo". Com frequência, a descarga do ódio reprimido leva a um soluçar profundo, quando a tristeza pela perda do *self* vem à tona e é expressa. (Os autores psicanalistas referem-se a isso como um lamento pelo *self* perdido.) Repito: para um observador, a descarga irrestrita de cólera pode ser assustadora. Os pacientes que realmente se soltam parecem loucos. Mas isso só é loucura na acepção de cólera, não de insanidade, pois os pacientes sabem o que estão fazendo. E, como suas ações são egossintonizadas – ou seja, não contrárias à sua vontade –, eles nunca estão realmente descontrolados e podem parar quando desejarem. Nos 30 anos em que tenho usado essas técnicas, nada foi quebrado em meu consultório e nunca fui agredido. Apesar dos gritos, dos berros e da violência, os pacientes nunca se sentem loucos pelo fato de descarregar seus sentimentos. Ao

Narcisismo

aceitá-los, eles adquirem uma noção de autodomínio e compreendem que a verdadeira loucura estava no sorriso fixo, na pose de "bom" rapaz ou "boa" menina, na negação de sentimento.

Com isso em mente, pedi a Frank que se aproximasse da cama. Ele ergueu os punhos acima da cabeça e desferiu repetidos socos na cama com toda a sua força. Estava dando vazão à cólera que existia em seu íntimo. Do modo como socou a cama, eu era capaz de dizer que Frank queria estraçalhá-la. Os golpes eram desferidos com intenção destrutiva. Mantive Frank golpeando a cama até esgotar toda a sua cólera. Depois, mostrei-lhe como socá-la mais eficazmente, com menos esforço, esticando os braços e deixando os golpes saírem como se viessem do chão. Ele ficou surpreendido com a diferença. Passou a bater como um pugilista, não como um louco. Agora, ele tinha completo controle de sua violência; conseguiu de fato estar colérico e não apenas louco.

* * *

Para que os narcisistas se conheçam, eles têm de reconhecer seu medo da insanidade e sentir o ódio homicida interior que identificam com a loucura. Mas só podem fazê-lo se o terapeuta estiver consciente desses elementos e não assustá-los. Considero proveitoso assinalar aos meus pacientes que o que eles acreditam ser loucura – ou seja, a sua ira – é, de fato, saudável se conseguirem aceitá-la. Em contrapartida, seu comportamento sem sentimento, que eles consideram saudável, é realmente insano.

8. Em excesso, muito cedo

No capítulo anterior, propus que a insanidade se desenvolve quando o ego ou a mente consciente é sobrepujada por um sentimento que não pode integrar. Mais uma vez, esse conceito de insanidade é sustentado pela fala cotidiana. Se nos importunam demais, podemos exclamar: "Pare com isso. Você está me deixando louco!" Incapazes de suportar (integrar ou tolerar) a irritação ou provocação contínua, pressentimos estar prestes a explodir num acesso de cólera ou loucura. Conforme indiquei, não acredito que uma pessoa fique insana simplesmente por ser empurrada para o ponto de explosão – desde que possa explodir. De modo geral, requer-se uma situação especial para levar alguém à loucura.

A tortura lenta é uma dessas situações. Na antiga prática chinesa, por exemplo, as pessoas eram torturadas fazendo-se uma gota d'água cair continuamente num ponto da cabeça, enquanto eram mantidas imobilizadas. O acúmulo constante de estímulos tornava-se superior ao que elas eram capazes de suportar e a mente delas fraquejava. Ninguém consegue resistir à tortura contínua. Ou morre ou enlouquece. No primeiro caso, é o corpo que sucumbe; no segundo, é o espírito – desfaz-se a conexão energética entre a mente e o corpo. Qual das duas coisas acontecerá depende da natureza da tortura e de seu objetivo.

A tortura não precisa ser física, no sentido de um ataque direto ao corpo. O som pode ser usado para eliminar a vontade ou a resistência de alguém. Em certas frequências, ele se torna tão doloroso que beira o insuportável. O medo é outra maneira de atingir o espírito de uma pessoa. Ao relembrar sua prisão e o encarceramento com um grupo de estudantes radicais russos, Dostoiévski relata o seguinte incidente: durante o julgamento, todos foram condenados à morte. Foram conduzidos até o pátio de execuções e muitos deles alinhados diante de um pelotão de fuzilamento. Então, no último momento, os rifles foram baixados, a suspensão da pena por ordem do czar foi anunciada e eles foram despachados para a Sibéria. Entretanto, um dos homens, diante do pelotão de execução, enlouqueceu. Seu medo foi excessivo.

Também sabemos que o indivíduo pode ficar temporariamente insano se for privado de toda a estimulação sensorial. Num experimento de privação sensorial, a pessoa é colocada numa piscina cuja temperatura da água é igual à do corpo humano. Não há som, a luz é uniforme e o indivíduo está sozinho. Apesar de todo o esforço de autocontrole, sua mente começa a ter alucinações. Sem alguma estimulação do exterior, as fronteiras da pessoa tornam-se vagas. Os bebês que forem deixados no berço por longos períodos, sem ser tocados, entrarão num estado de marasmo e morrerão. Necessitamos de estimulação. Mas também precisamos de equilíbrio. O estímulo excessivo pode ser tão pernicioso quanto uma estimulação deficiente.

O EGO E SEU ESCUDO PROTETOR

A ideia de que necessitamos de proteção contra o excesso de estimulação foi exposta há muitos anos por Freud. Descrevendo o organismo como uma vesícula, ele formulou a seguinte hipótese: "Esse pequeno fragmento de substância viva acha-se suspenso no meio de um mundo externo carregado com as mais poderosas energias, e seria morto pela estimulação delas emanada se não dispusesse de um escudo protetor contra os estímulos". E prosseguiu: "A proteção contra os estímulos é, para os organismos vivos, uma função mais importante do que a recepção deles"[40].

O escudo protetor é a pele, a qual Freud descreveu como "um envoltório especial ou membrana especial resistente aos estímulos". Reconhecemos essa função da pele quando nos referimos a pessoas de pele delicada ou de pele coriácea. As primeiras são mais sensíveis a estímulos do que as segundas. Embora essas referências coloquiais tenham uma base física (a pele delicada é mais sensível à dor), elas são predominantemente metafóricas. A questão da sensibilidade está mais relacionada com a vitalidade da pele – ou seja, com o nível de energia que ela apresenta.

Biologicamente, o escudo protetor desenvolve-se como um processo de amortecimento ou endurecimento da camada superficial. Assinalou Freud que a "sua superfície mais externa deixa de ter a estrutura apropriada à matéria viva; torna-se, até certo ponto, inorgânica"[41]. A concha de um molusco é um exemplo claro do endurecimento da superfície para proteger as partes sensíveis do organismo. Também coloquialmente, falamos de pessoas que se recolheram à sua concha quando se fecham e se protegem do mundo.

Narcisismo

Psicologicamente, os narcisistas têm uma pele espessa. São relativamente insensíveis a outras pessoas e a si mesmos. Em contrapartida, os indivíduos de caráter esquizoide e os esquizofrênicos são, via de regra, tão hipersensíveis que parecem não ter pele. A pele pode ser descrita como a superfície ou fronteira externa do *self*. Nos narcisistas, essa linha de demarcação é exagerada, criando uma frente rígida que serve como defesa contra o mundo e também isola o indivíduo. Na estrutura de caráter narcisista, a frente converte-se numa sólida fachada que suporta a pressão; por outro lado, a frente ou fachada da personalidade de fronteira tende a desmoronar sob estresse. Os esquizofrênicos, com sua pele energeticamente subcarregada, têm uma fronteira frágil e tênue, que os deixa vulneráveis ao impacto de forças no ambiente. A defesa deles é retirar-se do mundo.

A pele não é só um escudo protetor e a fronteira física do corpo, mas está intimamente ligada à consciência. Em *The language of the body*, sublinhei que a consciência é uma função da superfície e representa a percepção, pelo organismo, da interação entre os mundos interior e exterior. Assim, quando fechamos os olhos e adormecemos, excluindo assim o mundo externo, perdemos a consciência; isto é, não estamos conscientes de nós mesmos e nossa sensibilidade a estímulos externos é substancialmente reduzida. Mas esse processo pode intensificar nossa sensibilidade para o que está acontecendo no interior, o que pode ser descrito como consciência onírica. Contudo, se alguém nos bate de leve ou nos sacode, tornando-nos de novo conscientes do mundo exterior, a consciência do ego retorna e a consciência onírica retira-se, deixando-nos com a lembrança do sonho. O devaneio também depende de uma consciência do ego consideravelmente diminuída, ou seja, a consciência do mundo externo. No entanto, a consciência onírica somente ocorre no sono leve. Quando a pessoa passa para o sono profundo, ela também se perde. A anestesia geral provoca a mesma perda de consciência. Se o sono da anestesia for bastante profundo, a perda de consciência estende-se também ao corpo e não percebemos a dor. Nessa situação, o cirurgião pode operar sem que a pessoa sinta qualquer dor.

Uma fronteira ou superfície separa duas áreas de fenômenos, cada uma das quais pode agir sobre a fronteira. Assim, a membrana de uma célula é influenciada pelo que acontece tanto na célula quanto no ambiente fluido que a rodeia. A pele é a superfície imediata do corpo que separa os dois mundos, o interior e o exterior, e, como tal, é sensível a estímulos de fora e impulsos de dentro. Na verdade, pode-se dizer que a superfície do corpo envolve não só a pele como os tecidos subcutâneos e o invólucro de músculos voluntários que rodeiam o corpo. Todos os nossos órgãos sensoriais, que aumentam a nossa sensibilidade a acontecimentos no mundo exterior, estão localizados na superfície do corpo. Se diminuirmos essa sensibilidade, diminuiremos a consciência do ego. Por exemplo, se congelarmos a superfície da pele, poderemos provocar uma anestesia local, reduzindo a consciência nessa área. Mas, como vimos, a consciência do ego também pode ser reduzida por uma anestesia geral que atua diretamente sobre o cérebro ou tronco cerebral, bloqueando as funções perceptivas desse órgão. Assim, duas superfícies estão envolvidas na consciência do ego: a superfície do corpo e a superfície do cérebro. E dois fatos são necessários, portanto, para que ocorra a percepção consciente: um evento que tem lugar dentro ou fora do organismo deve provocar um impacto na superfície; e a percepção ou reconhecimento desse impacto deve ocorrer no cérebro. A percepção é uma função do ego e está localizada na superfície do cérebro, a qual atua como um radar ou tela onde aparece uma imagem do que está acontecendo. Do mesmo modo, a superfície do corpo atua como uma antena de TV que recebe os sinais antes de serem projetados na tela como imagem.

Podemos pensar na consciência como uma luz na escuridão do inconsciente que nos permite ver. Mas só conseguimos ver aquilo que está em nosso campo de visão ou que é iluminado pela luz. Nesse sentido, a consciência assemelha-se mais a um holofote que ilumina apenas uma pequena área e deixa o resto numa escuridão ainda maior. Da mesma forma, o radar só pode identificar objetos que estão na direção e no raio de ação dos seus sinais.

Imaginemos, pois, a consciência como um farol giratório que ilumina acontecimentos nos mundos exterior e interior. Os dois nunca estão, ao mesmo tempo, no facho de luz da consciência. Se focalizamos o mundo externo, diminuímos a consciência do nosso mundo interior e vice-versa. E aqui temos um acentuado contraste entre a consciência do narcisista e a da personalidade esquizoide. O narcisista concentra-se fortemente na realidade externa, com relativa exclusão do mundo interno do sentimento. A personalidade esquizoide, por outro lado, retira-se do mundo externo para uma realidade interior. A retirada esquizofrênica indica que o indivíduo não consegue enfrentar as forças e pressões do mundo externo. Os narcisistas, por outra parte, podem enfrentá-las razoavelmente bem, embora sejam incapazes de responder emocionalmente às situações. O que eles fazem é manipular pessoas e coisas, pois reduziram todos os objetos a imagens. O esquizofrênico também age em termos de imagens, quase sempre dotadas de elevada carga emocional, mas que têm escassa relação com a realidade do mundo exterior. Os indivíduos normais também concebem a realidade em termos de imagens emocionalmente carregadas, mas, neste caso, elas correspondem à realidade. As pessoas não são *reduzidas* a imagens.

A consciência é uma função ativa e passiva. Não podemos acender deliberadamente a luz da consciência, mas, uma vez conscientes, podemos dirigir a luz para onde desejamos ou para onde estiver nosso interesse. De modo geral, porém, estamos abertos para ver e perceber o que se passa à nossa volta. Essa parte da consciência que está ativa, tanto em percepção como em reação, constitui o ego. O ego permite-nos alterar conscientemente o nosso ambiente a fim de satisfazermos as nossas necessidades ou de nos adaptarmos. Por meio do ego, removemos um obstáculo do nosso caminho; caso isso não seja possível, modificamos nosso comportamento para contornar a barreira. Em minha opinião, entretanto, as pessoas tornaram-se todas egoístas demais ao transformar a natureza a fim de satisfazer suas necessidades e alterar suas próprias naturezas para enfrentar supostos obstáculos. Nós somos, por exemplo, os únicos animais que negarão seus sentimentos na busca de poder. Nisso, agimos contra nossa natureza.

Mas como pode alguém voltar-se contra a sua natureza? Freud sublinhou que, em geral, não existe escudo contra as excitações vindas do interior do organismo. Essas excitações são percebidas como prazer ou dor, ou como impulsos associados a emoções, sentimentos e sensações. Não perceber essas excitações cria uma séria desvantagem à capacidade de sobrevivência e à plena realização do organismo. Pode acontecer, porém, que surjam excitações internas que, segundo Freud, "produzam um aumento demasiado grande de desprazer; há uma tendência a tratá-las como se atuassem não de dentro, mas de fora, de maneira que seja possível colocar o escudo como meio de defesa contra elas"[42]. Freud está dizendo que aos sentimentos dolorosos pode ser negado acesso à consciência.

Proteger o organismo contra estímulos que ele não pode dominar constitui parte da função adaptativa do ego, cuja finalidade é proteger a integridade do indivíduo. Assim, o ego pode até negar alguns aspectos da realidade exterior como forma de defesa. Vimos isso em pacientes que descreveram sua infância

155

como feliz e seus pais como carinhosos, embora admitissem a existência de traumas resultantes de espancamentos, punições e críticas. Para sobreviver em semelhante situação, as crianças têm de suprimir sua rebeldia e submeter-se, o que só podem fazer negando os próprios sentimentos e a realidade do comportamento dos pais. Mas essa defesa legitima converte-se em neurose quando continua até a idade adulta e atua em situações em que a pessoa já não é impotente.

Visto que se obtém a negação insensibilizando a superfície para os estímulos, o ego torna-se rígido. O sorriso constante converte-se numa máscara que a pessoa já não pode remover. O resultado é a diminuição da capacidade do ego de responder emocionalmente à realidade ou de mudar a realidade em consonância com os próprios sentimentos. Se ampliarmos a analogia de Freud, o ego rígido é como um cavaleiro enrijecido, suscetível a ser jogado ao chão assim que ocorra um movimento súbito e forte (sentimento). A segurança do ego reside num corpo amortecido, com escassa emoção. Entretanto, esse mesmo amortecimento gera uma fome de sensação, culminando no hedonismo típico de uma cultura narcisista.

Em suma, a pessoa entra em sérias dificuldades se for superestimulada sem qualquer canal para descarregar o excesso de excitação. Esta é vivenciada como dor ou desprazer, nas palavras de Freud, devido à intensa pressão para descarga. Quando essa tensão atinge o ponto em que não mais consegue suportar a dor, a pessoa anestesia a si mesma. O ego usa seu escudo contra estímulos para bloquear sua percepção do tormento interior. Logo, quanto maior for a ameaça de descarga, mais energia é investida na fachada apresentada ao mundo – que é o modo de a pessoa controlar e negar o sentimento. O efeito final da superestimulação é aprisionar o verdadeiro *self*, o do sentimento.

SOBRECARGA NA VIDA COTIDIANA

A superestimulação é comum nas cidades do mundo ocidental. Há barulho demais, movimento demais, atividade demais, excessiva estimulação incomum. O ruído numa cidade como Nova York é quase inacreditável. É uma forma de poluição que destrói o silêncio e a paz. Por mais estimulantes que todos os sons possam ser no começo, o nível constante de recepção auditiva logo se torna perturbador. É suficiente para enlouquecer qualquer um. Como os nova-iorquinos suportam isso? Todos conhecemos a resposta. Eles se insensibilizam. Fecham-se para o ruído e de fato não o ouvem. Como a percepção

Narcisismo

consciente é uma função de contrastes, eles só se apercebem de quão ruidosa é a cidade quando, numa manhã de domingo, o zum-zum de atividade declina e prepondera um relativo silêncio.

O movimento numa grande cidade, tanto de veículos como de pedestres, tem efeito semelhante. No começo, parece excitante mas, no final, é demais. Como se, numa torrente caudalosa, a multidão de pessoas em movimento nos envolvesse em seu fluxo e nos levasse em seu irresistível tropel. Perdemos o sentido de nós mesmos como seres dotados de sentimento. O ritmo é rápido demais; não temos tempo. É desumanizante. Como se para me recordar o que se perdera, acordei recentemente numa bela manhã de domingo em Nova York. Era outono e o ar estava fresco e límpido. Havia poucos automóveis e não se percebia a azáfama do comércio. Senti um profundo prazer caminhando pelas ruas, um prazer que eu conhecia por ter crescido na cidade, mas que raramente se vivencia nos dias de hoje. Naqueles tempos, Nova York tinha uma qualidade humana.

É difícil avaliar o nível de mudanças ocorridas no século 20. Bondes puxados por cavalos ainda existiam no começo do século. Homens com vassouras limpavam as sarjetas. Meu pai ia toda manhã ao barbeiro para fazer a barba e ouvir os mexericos. Isso lhe custava cinco centavos. Eu não tenho esse luxo. A dificuldade de reconhecer a mudança deriva de termos nos adaptado às novas condições tão bem que elas parecem naturais. Mas pagamos um preço por essa adaptação ao estresse da vida moderna: a construção de barreiras para nos proteger da superestimulação. Para funcionar no ritmo de uma máquina, temos de nos tornar máquinas, o que significa embotar nosso corpo e negar nossos sentimentos[43].

A superestimulação não ocorre somente nas cidades. Ela acontece em todos os tipos de lar. Em muitas casas americanas, o rádio e a televisão permanecem ligados por longos períodos. Noticiou-se que o americano médio vê seis horas de TV por dia. Muitos homens e mulheres veem televisão ou escutam o rádio enquanto executam suas tarefas domésticas ou mesmo no trabalho. Parecem necessitar desse estímulo; ela aumenta a dose de excitação que parece faltar na nossa vida. Mas a TV e o rádio também servem de distração – a pessoa evade-se de si mesma e distancia-se de seus próprios sentimentos. Os noticiários no rádio e na TV são particularmente perturbadores porque, com frequência, provocam sentimentos que não podem ser expressos. Ouvir a notícia de um crime hediondo pode suscitar uma cólera que não tem saída para descarga. Aprendemos rapidamente a não ser afetados, mas isso significa que reforçamos o escudo protetor contra os estímulos.

Outro fator que contribui para a superestimulação é a constante atividade exigida pela sociedade ocidental. Parece haver tanta coisa que fazer que é quase impossível parar – repousar, pensar, contemplar. Para conseguir, simplesmente, realizar o trabalho de um dia, é preciso estar em movimento o tempo todo. As pessoas estão atarefadas, ganhando ou gastando dinheiro, ou cuidando das coisas que compram. E pense no ato de dirigir um automóvel. Além de gerar tensão, pela necessidade de estarmos sempre alertas, somos constantemente bombardeados pelas sucessivas paisagens cambiantes.

E, no entanto, as pessoas parecem necessitar de toda essa atividade. Pode haver coisas demais a fazer, mas coisas de menos deixa-as entediadas e inquietas. Elas necessitam de projetos que propiciem alguma excitação, de modo que, assim que uma coisa é concluída, outra é imediatamente iniciada. Os jovens de hoje têm sido chamados de geração da ação, subentendendo uma virtude em sua atividade constante. Seu desassossego, porém, resulta da incapacidade de ficar quietos. Eles só se sentem vivos quando estão *fazendo*, mas suas ações constituem uma defesa contra *ser* e sentir[44]. Entre esses jovens, alguns movimentam-se mais depressa do que outros, esforçando-se por subir a escada da vida mais rapidamente. São os chamados arrivistas, jovens ambiciosos que querem triunfar antes de seus rivais. Tudo na vida deles está subordinado à corrida impetuosa para o sucesso.

Não é por acaso que os sons gritantes do *rock* se converteram em moda. Em conjunto com luzes estroboscópicas, eles fornecem estimulação suficientemente poderosa para penetrar quase todos os escudos protetores e excitar o espectador-ouvinte. Mas a excitação não basta; é necessário o prazer da descarga. Esta é proporcionada pela vigorosa batida rítmica e pelos movimentos intensos da *disco music*. Tal ambiente parece fornecer uma sensação de vivacidade ao indivíduo narcisista. Mas o *rock* e a *disco music* aumentam também o embotamento interior do narcisista ao fazerem a superestimulação parecer um modo normal de vida. Esse é o perigo real do excesso de estímulo. Tendo-se adaptado a ele, as pessoas não parecem capazes de dispensá-lo.

SUPERESTIMULAÇÃO NA FAMÍLIA

Embora eu acredite que o distúrbio narcisista é um produto da cultura ocidental, também creio que o indivíduo narcisista é fruto de uma situação familiar

Narcisismo

infeliz, na qual a criança é seduzida para um relacionamento especial com um dos pais (veja o Capítulo 5). Por meio da intimidade fornecida por essa relação, a criança é exposta a sentimentos e à sexualidade adultos, o que resulta em sua superestimulação. Um dos pais poderá voltar-se para o filho em busca de apoio e compreensão, e até compartilhar com ele seus sentimentos de frustração em relação ao cônjuge. Como pode uma criança lidar com apelos emocionais tão fortes? A aflição de um pai é sempre demais para uma criança. Não há nada que ela possa fazer.

A tensão conjugal é quase sempre uma combinação de mágoas, desapontamentos e frustrações da infância de ambos os parceiros. Incapaz de responder à aflição recíproca, o casal pode voltar-se para os filhos em busca do amor que não obteve de seus pais. Independentemente de como tratem os filhos, existe sempre uma exigência ostensiva ou encoberta: "Diga quanto me ama, diga que eu sou um bom pai (ou uma boa mãe)". Quantas vezes os pais fazem uma criança sentir-se culpada com este comentário: "Você percebe como luto pelo seu bem-estar?" É claro que a criança está ciente da luta do pai (ou da mãe), porquanto capta a dor dele (ou dela). Como disse uma paciente, "a tristeza de minha mãe era esmagadora. Eu não suportava ver sua mágoa. Tinha de fazer tudo que estivesse ao meu alcance para fazê-la feliz." A experiência dessa paciente não é única. Lamentavelmente, ela é muito comum.

Digamos que é a mãe quem recorre à criança com seus problemas. O que pode um filho fazer para tornar sua mãe feliz? A primeira coisa é estar à disposição dela – para ouvir suas histórias de mágoas e atribulações, solidarizar-se com seu sofrimento, compreender suas dificuldades. A criança tem de estar a postos para ela, como a mãe dela não esteve. Com efeito, a criança torna-se um pai (ou mãe) para o próprio pai (ou mãe). Quantas vezes ouvi minhas pacientes comentarem: "Eu era uma mãe para minha mãe". O menino pode ser mais como um marido, ocupando o lugar de "bom pai". Mas nada muda. A mãe continua suas lamentações masoquistas, queixando-se e cativando com agrados. A criança sente-se inundada de sentimentos desagradáveis, sobre os quais nada pode fazer. Ela nem sequer pode ir embora. A única coisa que pode fazer é nada pedir à mãe – suprimir os sentimentos e necessidades próprios para que a mãe não se sinta culpada por sua falta de atenção.

Os sentimentos suscitados em crianças por tal situação são dor, tristeza e cólera, tanto por si mesmas como pelos pais. Como esses sentimentos são mais do que elas conseguem absorver, precisam recorrer ao escudo protetor contra eles – torna-se forçoso que não sintam. Se sentissem plenamente, elas gritariam sua dor, soluçariam sua tristeza e atacariam com fúria destrutiva. Mas não fazem isso – o que pareceria loucura. A solução que encontram é blindar-se, retesarem os músculos do corpo, de modo que seja impossível qualquer expressão de sentimento. Enfiaram-se numa camisa de força psicológica. A blindagem assume numerosas formas no corpo, as quais refletem, todas, um grau de rigidez global. A expressão "blindagem" foi introduzida por Wilhelm Reich para descrever um processo pelo qual a tensão crônica se desenvolve nos músculos superficiais do corpo, formando uma couraça dura contra a agressão vinda de fora e o impulso de dentro. Em alguns indivíduos narcisistas, o corpo tem uma aparência estatuesca devido à rigidez. Em outros casos, o corpo pode ter uma aparência maciça, como um bloco inteiriço, indicando que a rigidez se destina a resistir à pressão. Um paciente descreveu à mãe como um tanque. Seu corpo impressionou-me; parecia uma casamata de concreto. Esse era o seu modo de se defender contra o tanque. Contudo, em muitos casos, como já vimos, o corpo não está blindado no sentido de uma rigidez global. Porém, não deixa de existir uma faixa de tensão na base do crânio, a qual serve para separar a percepção dos eventos corporais.

Até aqui, ao discorrer sobre a superestimulação pelos pais, falei em termos bastante genéricos. Acredito que a verdadeira superestimulação é sexual. Mencionei que a sedução sempre tem implicações sexuais, por mais inocentes que pareçam as ações dos pais. Alice Miller, eminente psicanalista europeia, comenta:

> O pai que cresceu num ambiente hostil às pulsões instintivas pode primeiro atrever-se a olhar insistentemente para um órgão genital feminino, brincar com ele e sentir-se excitado enquanto está dando banho em sua filhinha. A mãe [que desenvolveu um medo de genitais masculinos] pode agora estar apta a controlar seu medo em relação a seu pequenino filho. Ela pode, por exemplo, secá-lo após o banho de tal maneira que o menino tenha uma ereção que não é perigosa nem ameaçadora para a mãe. Ela pode massagear o pênis de seu filho até a puberdade a fim de "tratar sua fimose".[45]

Segundo Miller, essas atitudes dos pais tornarão a criança insegura acerca da sexualidade, e isso é aumentado pela proibição parental das próprias atividades auteróticas da criança. Penso que "insegurança" é uma palavra moderada para descrever os efeitos de tal superestimulação sexual. Cumpre

Narcisismo

recordar que a criança que é estimulada sexualmente por um dos pais não tem a possibilidade de descarregar a excitação. O caso de George pode ser extremo, mas ilustra claramente o problema.

George, um de meus ex-pacientes, submeteu-se a massagens musculares profundas. Depois disso, escreveu-me:

Ele [o massagista] disse que meu crânio era como um coco, meu queixo dava a impressão de que eu mastigava pregos, meu pescoço tinha uma gargantilha de aço em redor, meu peito parecia esvaziado, minhas nádegas estavam tensas como um tambor e meus joelhos estavam rígidos. No nível do ego, compreendi muita coisa que me estava acontecendo. Algo me aterrorizava e construí uma vestimenta blindada em torno disso. Sexualmente, quando eu era jovem, meu pai costumava dar-me palmadas entre as pernas e dizia: "Trate de arranjar garotas". Eu costumava dormir entre minha mãe e minha irmã. Muito ansiosamente, minhas mãos percorriam todo o corpo de minha irmã, mas eu só tocava a metade superior do corpo da minha mãe. Isso foi antes de eu começar a masturbar-me.

Minha irmã levou-me para assistir a filmes de horror. Eu ficava aterrorizado assistindo a esses filmes na TV com meu pai. Costumava deitar na cama, imóvel, por longos períodos, com a cabeça debaixo dos lençóis e medo de olhar para a porta. Achava que enlouqueceria se alguém aparecesse na porta.

Receio abraçar minha mãe porque, tendo dormido entre ela e minha irmã, comecei a fechar-me sexualmente. Temo que isso aconteça de novo. Fico tão gelado que me sento ao lado dela durante horas sem dizer uma palavra.

As palavras de George esclarecem o dano que se pode causar a um rapaz quando é superestimulado sexualmente e, ao mesmo tempo, sente-se aterrorizado pelo pai em virtude da situação edipiana. George não podia resistir a tocar o corpo da mãe e da irmã porque aquilo era excitante demais, mas não auferia prazer algum porque se sentia culpado e assustado ao extremo. Era uma tortura. Tudo que podia fazer era apertar os maxilares, endurecer o corpo e tentar suportar a sevícia. Isso significou fechar-se para os sentimentos, sobretudo os sexuais. Ele ainda receava tocar numa mulher e só era capaz de praticar sexo oral com prostitutas.

Quase todas as crianças estão hoje expostas a um excesso de estimulação sexual, tanto em casa como no ambiente. Alguns pais pensam ser conveniente andar nus pela casa diante dos filhos. Imaginam que isso impedirá o desenvolvimento de inibições sexuais na criança. Não se dão conta de que se trata de exposição sexual e não de nudez. Numa cultura em que as pessoas usam sempre roupa, despi-las tem implicações sexuais. (Essas implicações estão ausentes num campo nudista, onde ninguém usa roupa.)

Uma quantidade enorme de crianças na cultura moderna cresce rápido demais. Um bom exemplo é a filha de um amigo meu que exigiu, aos 4 anos de idade, que lhe comprassem calças jeans bem justas, de modo que pudesse mostrar as formas do seu corpo! Infelizmente, alguns pais orgulham-se do desenvolvimento precoce dos filhos e até o encorajam. Mas a maturidade aparente dessas crianças precoces é apenas uma sofisticação. Elas estão intelectualmente avançadas, mas emocionalmente retardadas. A exposição de crianças pequenas à sexualidade adulta pode reduzir a inibição para agir de acordo com os próprios impulsos, mas também diminuirá os sentimentos sexuais.

Ruth era uma dessas pessoas – uma mulher jovem e atraente, aparentemente muito segura de si. Formada em Psicologia, estava trabalhando numa tese de doutorado. Entretanto, quando observei seu corpo num grupo de terapia bioenergética, fiquei chocado. Era o corpo de uma menina de 15 ou 16 anos, e Ruth estava com 33. Eu podia imaginar seu corpo com aparência de 20 anos quando ela tivesse passado dos 40. Fazia-me pensar em Dorian Gray. Ruth não envelheceu porque não cresceu. Em algum nível profundo, ela continuava criança. Sua mente era adulta e muito viva, mas seu corpo permaneceu subdesenvolvido porque sua vida, suas emoções, tinham sido negadas e suprimidas. O senso do *self* de Ruth estava dividido. Por vezes, sentia-se uma velha; em outras, sentia-se como se ainda não tivesse vivido.

Patrícia foi outro exemplo. Quando entrou no meu consultório, impressionou-me o seu ar de autodomínio, confiança e firmeza. Tinha apenas 20 anos, mas falava como uma mulher do mundo, referindo-se displicentemente ao uso de cocaína e a bebedeiras. Patrícia admitiu estar em apuros; era incapaz de se concentrar e não conseguia fazer os trabalhos universitários. Percebi que sua aparente sofisticação era de uma fachada; interiormente, ela ainda era uma criança. Quando deixou cair essa fachada por um minuto, enxerguei a criança em seus olhos. Patrícia descreveu-se como especial. Seu pai e seus professores sempre lhe tinham dito que ela era melhor do que as outras moças. E sobressaía no tênis, na natação e no hipismo; era o que se esperava dela. Mas, depois da puberdade, seu desempenho nessas atividades declinou. Ainda era popular porque era atraente e chamava a atenção, mas tratava-se de encenação e nenhum sentimento. Era incapaz de chorar, gritar e urrar. De fato, embaraçava-a qualquer expressão de sentimento. Patrícia tivera experiências sexuais, de modo que a interroguei a respeito. "Não penso que seja tudo aquilo que dizem", respondeu ela. "Não acho que tenha essa importância toda." Aos 20 anos! Mas sua observação é compreensível à luz da tensão em sua pelve. Não havia sentimento. A parte inferior de seu corpo estava tão rigorosamente contraída que era quase impossível qualquer movimento livre ou espontâneo. O ato sexual era desprovido de significado, mesmo quando ela gostava do rapaz. Que situação trágica para uma jovem!

O corpo de muitos homens jovens também mostra um grau de imaturidade que contrasta com uma expressão facial de velho. A diferença é ainda mais acentuada quando o indivíduo usa barba. Em contrapartida, a pelve pequena e as pernas finas têm uma qualidade pueril. Em alguns casos, também a parte superior do corpo parece juvenil em virtude de um tórax estreito. E essa aparência jovem pode até perpassar no rosto de adulto, sobretudo se o homem sorrir ou tirar a barba. Alguns homens maduros podem manifestar atributos juvenis muito fascinantes, mas isso é diferente. Os homens que estou descrevendo são jovens e velhos ao mesmo tempo – intelectualmente refinados, mas emocionalmente imaturos.

Esses jovens, homens e mulheres, estão emocionalmente fixados no início da juventude porque seu desenvolvimento foi sustado. Perderam cedo demais a inocência da infância e, com isso, a oportunidade de uma existência alegre e descontraída que permitiria a maturação lenta e natural de suas faculdades. Eles são impelidos a aprender com brinquedos e jogos educativos, sob os olhares vigilantes de pais que estão sempre medindo o progresso dos filhos. As crianças necessitam que as deixem sozinhas para brincar pelo puro prazer lúdico, sem nenhum objetivo ulterior, como a aprendizagem. E elas pressentem as expectativas dos pais, quer sejam explicitamente declaradas ou não. Com muita frequência, os pais atentam apenas para as conquistas do filho, para os sinais de que são especiais no mundo. Acompanham seu progresso como os torcedores acompanham seu time. Que aproveitamento a criança está tendo na escola, nos esportes, com amigos? O fracasso é inaceitável. Mas também existem muitos pais que estão cientes da tremenda pressão competitiva que a cultura moderna exerce sobre as crianças, e tentam assegurar a seus filhos que ser mediano já é bastante bom. Lamentavelmente, é muito difícil para uma criança a quem se fez sentir em casa que era especial aceitar ser mediana ou comum. Ninguém consegue se libertar das forças culturais. No Ocidente, que está orientado para o êxito material, o fracasso é um pecado capital.

NUTRIMENTO INSUFICIENTE

Outra razão para a pressão sobre as crianças para que cresçam depressa é o desejo dos pais de se ver livres da obrigação de estar sempre à disposição delas. Eles querem dedicar mais energia às próprias necessidades de realização pessoal. Essa conduta poderá parecer razoável do ponto de vista dos pais, mas o modo como isso é feito hoje em dia é contraproducente. A ausência da mãe tem um efeito negativo sobre a criança, porquanto a mãe é o mundo primário desta, sobretudo quando se leva em conta a amamentação. Em minha opinião, o contato com o corpo da mãe se reveste de particular importância nos primeiros anos de vida. Não acredito que o pai possa substituir a mãe a esse respeito; o corpo dele carece da maciez que o dela tem. Segundo a opinião geral, deve-se apoiar o desejo da mãe de se afastar de seus filhos a fim de melhorar sua saúde e seus bons sentimentos, dos quais a criança depende. Mas, para mim, é triste quando as necessidades de uma mãe conflitam com as de seus filhos.

É importante não ser enredado pelo narcisismo de nossa cultura, que identifica a realização pessoal com o sucesso no mundo dos negócios. Há uma satisfação do ego a ser obtida por meio desse êxito, mas isso não satisfaz as necessidades básicas do indivíduo nem seu potencial como ser humano. As necessidades básicas são corporais e só podem ser satisfeitas no nível do corpo. São elas: respirar plena e profundamente, comer com bom apetite, dormir quando se está fatigado e fazer amor com um desejo apaixonado. De que adianta ser bem-sucedido no mundo, ter fama, se se está angustiado e infeliz em seu âmago? Tratei, certa vez, de um célebre autor que estava tão deprimido que acordava todo dia com o desejo de morrer. Somos seres mais plenamente realizados quando estamos ardentes de vida, vibrantemente vivos. A total realização pessoal está no uso pleno de todas as nossas faculdades. É narcisista pensar que só estamos realizados usando a mente. Não desfrutar do

Narcisismo

uso de nossas pernas para andar, de nossos braços para abraçar, de nossos olhos para ver, de nossos lábios para beijar é estar carente, não realizado. Não se aplica esse argumento aos seios de uma mulher, que são destinados a amamentar um bebê? O que pode ser mais gratificante do que alimentar uma nova vida? Não sou contrário a que as mulheres tenham uma carreira ou conquistem o sucesso. Elas têm o mesmo potencial criativo que os homens e podem oferecer ao mundo tanto quanto eles. Mas não acredito que um homem ou uma mulher se sintam realizados pelo que fazem. A pessoa encontra sua verdadeira realização em ser, não em fazer, em ser o gênero de pessoa que, por intermédio de seus bons sentimentos, pode ajudar outras a também sentir-se bem. Os sucessos pessoais são o glacê de um bolo, o molho numa carne. Só os narcisistas confundem tempero com alimento. Meu argumento, aqui, é o de que, se não satisfizermos as necessidades de nossos filhos, nós os predisporemos a um distúrbio narcisista da personalidade.

As crianças necessitam de nutrimento na forma de amor, apoio, proximidade e contato com o corpo da mãe para desenvolver um *self* estável e seguro. Também necessitam de atenção e respeito por seus sentimentos a fim de adquirir um sólido senso do *self*. Se isso não acontecer, elas terão uma sensação de carência que continuará até a vida adulta. Uma pessoa como essa, quando vira mãe, considera as necessidades e os pedidos da criança um obstáculo à sua própria realização pessoal. Em consequência desse conflito, terá dificuldade de satisfazer as necessidades do filho, e assim o problema de insatisfação passa de uma geração para outra.

As próprias condições da vida moderna geram obstáculos a um nutrimento adequado. Isso ficou claro para mim num voo de Nova York para Detroit. O embarque seria feito bem cedo (às 7h30). Sentei-me ao lado de uma mãe com duas filhas, uma de 2 anos e meio, a outra de 9 meses. A criança mais velha usava uma camiseta com a inscrição "Mulher liberada". Embora não fosse ainda mulher, ela tinha sido "liberada" de sua infância pelas exigências da situação. O avião estava lotado, a mãe preocupada com o bebê, de modo que a menina tinha de se comportar como um adulto. Mas não conseguia inteiramente; ela estava irrequieta. A mãe contou-me que tinham se levantado às 5h30 para pegar o avião. Mas isso não desculpava a criança. Quando esta perturbou a mãe, foi-lhe dito: "Fique quieta. Quer que eu bata em você novo?"

Senti pena dessa menininha. Apesar de compreender a situação difícil em que a mãe se encontrava, não consegui sentir empatia por ela, sobretudo quando me disse, em referência à menina: "Ela já fez esta viagem inúmeras vezes". A mãe disse isso com orgulho, como se o fato indicasse um grau de maturidade e sofisticação na criança. Quaisquer que fossem as razões para essas viagens, e podem ter sido importantes, a criança sofria por causa delas. Por exemplo, nunca chorou, embora eu notasse que, por diversas vezes, esteve próxima das lágrimas. Embora eu pressentisse que a mãe era uma pessoa afetuosa e cordial, com um profundo amor pelas filhas, no conflito entre seus interesses e os das crianças, os destas eram sacrificados. O incidente sugeriu quão pouco espaço e tempo uma mãe pode ter, em sua vida atarefada, para os seus sentimentos e para os de seus filhos. As viagens ou qualquer outra atividade têm precedência sobre os sentimentos.

O principal efeito do nutrimento insuficiente na criança é a supressão do sentimento de anseio, especificamente, o anseio de contato com o corpo da mãe, que representa amor, conforto e segurança. O sentimento é suprimido porque é doloroso demais querer desesperadamente alguma coisa que não se pode ter. Mas, sem esse sentimento, é difícil conseguir a intimidade física com outro ser humano no nível do sentimento. Todos os narcisistas têm esse problema, o qual não pode ser resolvido enquanto o anseio de anelo não for reativado. Tal sentimento expressa-se mediante a extensão dos braços para acolher alguém e com os lábios para beijar a pessoa. Beijar é uma extensão da sucção do bebê no peito materno. O sentimento de anseio é suprimido, portanto, inibindo o impulso de estender os braços e sugar – comprimindo os lábios, apertando o queixo e contraindo a garganta. Mediante essas tensões, a criança, com efeito, diz: "Eu não quero você, mamãe, porque eu não posso tê-la".

Sugar faz falta, em nível mais profundo, porque sugar é absorver. Quando absorvemos, admitimos ar. Se a sucção for inibida, a respiração é perturbada; torna-se superficial em vez de cheia e profunda. Muitas pessoas restringem a respiração porque a respiração profunda energiza o organismo e conduz ao sentimento. O método mais imediato para bloqueá-lo é conter a respiração.

A respiração superficial reflete-se na restrição dos movimentos respiratórios à área do diafragma. Na respiração mais profunda, estão envolvidos a garganta e o abdome, e o processo de admissão de ar é mais ativo e agressivo. A garganta abre-se, tornando-se literalmente maior, e a parede abdominal move-se de dentro para fora, dilatando essa cavidade. Psicologicamente, abrir

Narcisismo

a garganta abre o caminho para o coração e seus sentimentos, expressos nos sons do canto e do choro. Fechar a garganta não permite que nada entre ou saia. A sucção também pode ser superficial ou profunda. Pode-se sugar com os lábios e a língua ou com a língua pressionada contra o palato duro, o fundo da boca e a garganta. Os bebês alimentados com mamadeira sugam de maneira superficial, ao passo que aqueles amamentados ao peito sugam com o fundo da boca, o mamilo contra o palato duro.

Quando os pacientes são encorajados a respirar profundamente, sorvendo ar com a garganta, isso não raro tem um efeito dramático. Depois de certo número desses sorvos, os pacientes podem, de modo espontâneo, romper em profundos soluços. Também sentem, por vezes, a dor do anseio frustrado na garganta. Se lhes for pedido que, ao mesmo tempo, estendam os lábios e os braços adiante, como um bebê faz com a mãe, os pacientes vivenciam a privação de nutrimento que sofreram na infância. Na maioria dos casos, porém, eles se defendem com ardor contra o sentimento de dor e tristeza resultante dessa privação, sendo necessário considerável trabalho terapêutico para trazer à tona esses sentimentos suprimidos.

O CASO DE KAREN

Karen recorreu à terapia porque, como ela disse, não tinha sensações. Quase nada sentia em seu corpo e agia como uma boneca mecânica. Sua boca e garganta estavam especialmente contraídas, e tinha tão pouca sensibilidade nos lábios que um beijo nada significava para ela. "O encontro de duas bocas é para mim uma coisa muito estranha", comentou ela. Não tinha desejo de qualquer contato íntimo com outro ser humano.

A infância de Karen podia ser descrita como um pesadelo. Tivera pouco contato físico com a mãe e quase nenhum com o pai, que achava as mulheres repugnantes. A expressão de nojo estampada no rosto dele repelia Karen; ela reagia ao pai como este a ela. Com a mãe, em nível emocional, havia o que posso chamar de pseudocontato, pois a mãe via Karen apenas como uma imagem. "Ela era louca", recordou Karen. "Vigiava cada um de meus movimentos. Estava tão 'dentro' de mim! Eu era sua menininha. Tinha de ser perfeita."

Karen tornou-se uma narcisista típica, da variedade de fronteira. Na superfície, parecia normal, mas era apenas uma boneca sorridente. Dentro dela, não havia nenhum sentimento. "Desde tenra idade", contou ela, "eu era incapaz de me concentrar. Não absorvia nada. Não retinha sequer uma linha do que lia; nada aprendia na escola. Não conseguia respirar." A garganta de Karen estava fechada. Trabalhei com ela por um bom tempo, fazendo progressos lentos mas seguros. O sentimento só voltou aos poucos. Karen tinha consciência de que em vida estivera num estado de morte; era um longo caminho de regresso à vida. No início da terapia, era quase impossível para Karen chorar ou gritar. Ela não conseguia extrair nenhum som emocional da garganta. Trabalhamos duro em conjunto para mobilizar seu corpo por meio de exercícios e manipulações; e, finalmente, depois de vários anos, ela entrou em contato com a cólera e a tristeza. À medida que a terapia progredia, Karen continuou sentindo-se melhor, mas negava ter qualquer desejo de intimidade com outra pessoa, sobretudo um homem. Sua vagina estava tão inerte e insensível quanto sua boca.

A resistência de Karen à aproximação tinha várias determinantes. Em primeiro lugar, ela era rancorosa. Tendo-lhe sido negada intimidade quando criança, ela não pretendia agora pedi-la a ninguém. Seu amargor tornou-a uma reclusa. Além disso, Karen era arrogante – nenhum homem era digno de abordá-la; ela era especial. Trabalhei com essas defesas psicológicas quando elas surgiram na situação de transferência, mas não consegui atingir as carências de Karen porque sob suas defesas do ego havia dor – uma dor tão intensa que ela não se atrevia a senti-la. Essa dor estava ligada ao anseio encerrado em sua garganta.

Finalmente, numa sessão, ocorreu o desbloqueio em relação à dor. Karen estava trabalhando para abrir a garganta e tentava deliberadamente sorver como se estivesse arquejando por falta de ar. Enquanto executava esses movimentos ofegantes, apliquei certa pressão com meus dedos nos músculos escalenos ao longo do pescoço. Eles estavam bem tensos. Karen começou a chorar, mais profundamente do que nunca. Entre explosões de choro e soluços, ela expressou seus sentimentos. "Minha garganta está tão apertada que não consigo soltá-la apenas com o choro", começou ela. Quando, por fim, a garganta começou a se abrir, ela perguntou: "Por que agora minha garganta dói?" A cada descarga de sentimento, seu choro tornava-se cada vez mais profundo e intenso. Num dado ponto, ao recordar como se sentira sozinha e desesperada em criança, Karen gritou, num sentido desabafo: "A dor era tão grande. Que dor, que dor! Continuou por anos e anos. A necessidade e a dor. A necessidade e a dor. Sempre a necessidade e sempre a dor. Por quanto tempo dá para continuar?" Enquanto dizia isso, agarrava a garganta, estendida na cama. E prosseguiu: "Preciso tanto de você. E me dói tanto. Não havia ninguém com quem compartilhar, ninguém a quem contar. Era a solidão total". Karen contou então um incidente sobre o qual não me falara antes. "Conheci um homem que foi comigo ao meu apartamento apenas para fazer sexo", disse ela. "Eu estava tão só, tão desesperada por algum contato físico. Mas não consegui responder-lhe sexualmente. Então ele levantou-se e saiu. Fiquei tão destroçada quando ele saiu do apartamento que apanhei um objeto qualquer de cima da mesa, corri atrás dele no corredor e disse: 'Tenho algo para dar a você'. Ele olhou para mim como se eu fosse louca e continuou andando. Depois dessa experiência, nunca mais precisei de ninguém. Alguma coisa se fechou dentro de mim. Eu levantava pela manhã e ia para o trabalho como um autômato. Eu estava realmente louca."

Karen, deitada no meu divã, soluçava profunda e ruidosamente, despejando sentimento. Entre os soluços, gemia. Era como os queixumes de uma louca. Mas Karen não estava louca. Ela sabia o que estava fazendo. Estava em contato com a realidade – a realidade de uma dor quase insuportável. Tinham sido necessários muitos anos de terapia para ela ganhar a coragem e a força do ego que a capacitavam a enfrentar a realidade. A dor seria suficiente para levar alguém à loucura, de modo que, para manter a sanidade mental, Karen insensibilizara-se para a dor. O resultado era a incapacidade de respirar profundamente. Como ela própria comentou numa ocasião: "Senti o aperto na garganta e no peito durante anos; achava que não podia respirar. Era incapaz de respirar simples e profundamente; havia muita dor no meu diafragma. Não sei como sobrevivi".

* * *

Como vimos, o excesso de estímulos ou o de exigências a uma criança, conjugado com pouco nutrimento e apoio, aumenta o risco de sério distúrbio narcisista. Lamentavelmente, é nessa direção que a cultura moderna caminha a respeito da criação dos filhos. Segundo penso, as mães que têm uma carreira profissional não dispõem de tempo para realizar a tarefa maternal de que as crianças necessitam. Embora não afirme que a amamentação pode evitar que uma criança se torne neurótica ou narcisista, ela preenche, sem dúvida, as necessidades de contato, proximidade e satisfação erótica do bebê. Dá a ele o sentimento de que a mãe (seu mundo) existe para ele. Mas quantas mães podem hoje dedicar-se inteiramente aos filhos? Algumas são, elas mesmas, carentes e procuram a própria realização plena. É muito mais fácil alimentar a criança com papinha pronta e leite em pó! E, se a criança está irrequieta, há sempre um jeito de distraí-la com brinquedos. Conheço pais que ficam rodando de carro com o bebê a fim de acalmá-lo para que durma. Parece que quanto mais ativa a cultura se torna, menos tempo há para as crianças, as quais, portanto, são mais carentes. É um círculo vicioso, pois as crianças carentes procuram sua realização numa atividade incansável que as deixa mais frustradas. Poderá causar surpresa que muitas se voltem para as drogas? As drogas constituem um modo de insensibilizar o corpo e matar a dor. Outro modo é ficar tão atarefado na luta pelo poder, no mundo dos negócios, que não haja sequer tempo para sentir.

Reconheço que muitas mulheres vão trabalhar por uma questão de necessidade econômica. Se essa necessidade é um problema de sobrevivência ou até mesmo de ter uma vida decente, as necessidades das crianças talvez tenham de ficar em segundo plano. Mas muitas mães trabalham por um padrão de vida que, em outras épocas e em outros lugares, seria considerado um luxo. É claro, as pessoas gostariam de ter o que outras têm, e seu amor-próprio sofre se não puderem rivalizar com o padrão de vida dos vizinhos. Esse desejo é a força que impulsiona uma cultura narcisista que, por seu turno, priva a vida de significado e dignidade e cria indivíduos narcisistas. Porém, não acredito que o indivíduo seja apenas um parafuso numa máquina econômica ou apenas uma vítima impotente de uma cultura que está ficando insana. Se assim for, nossa situação é desesperadora. Felizmente, a terapia mostrou que os seres humanos dispõem de potencial para assumir a responsabilidade por sua vida. Se cada pessoa fizesse isso, a sociedade mudaria. Mas, se apenas uma delas o fizer, não estamos perdidos. O primeiro passo é reconhecer a insanidade do nosso tempo.

9. A loucura de nosso tempo

A APARÊNCIA DE SANIDADE

A questão que nos preocupa é a seguinte: baseados em quê podemos descrever o estado de nossa cultura como insano? Leopold Bellak, eminente psiquiatra, psicólogo e psicanalista, realizou o seguinte diagnóstico clínico da moderna condição sociopsicológica: "Se ser louco significa ter grande dificuldade de adaptar-se ao mundo tal como ele é (uma definição com que concordo), então a sociedade *está* louca.[46] Mas, embora concorde com o seu diagnóstico, não comungo inteiramente o seu raciocínio. Se o mundo em que vivemos, isto é, o mundo da cultura, fosse irreal, a incapacidade de adaptação não seria vista como loucura. No meu entender, os narcisistas estão perfeitamente adaptados ao mundo em que vivemos; adotam seus valores, circulam de acordo com seus padrões em constante mudança e sentem-se à vontade em sua superficialidade. Aqueles dentre nós que têm uma noção de passado, que buscam mais a segurança e a estabilidade do que a mudança e que não têm fé na informática, esses é que têm verdadeira dificuldade de adaptar-se. Considero pessoalmente perturbador toda vez que o preço de um produto de uso corrente muda em consequência da inflação. Quem está louco e por quê?

Nos tribunais, como vimos no Capítulo 7, ser meio louco é coisa que não existe. O indivíduo é julgado mentalmente são ou insano. Essa decisão é necessária para determinar se ele deve ser responsabilizado por um crime e enviado para a prisão, ou se deve ser hospitalizado. Mas essa postura "ou isso ou aquilo" não se ajusta ao ponto de vista do senso comum, o qual reconhece que tais coisas quase nunca são pretas ou brancas, que as pessoas podem estar parcialmente loucas mesmo que pareçam agir normalmente. Confio bastante no senso comum, porque este representa a experiência acumulada de muita gente. Assim, também concordo com a ideia ditada pelo senso comum segundo a qual o comportamento autodestrutivo deve ser considerado insano. O comportamento narcisista enquadra-se nessa categoria.

Que podemos dizer sobre a natureza da insanidade? Como já mencionei, a loucura manifesta pode ser aferida pela ausência de contato da pessoa com a realidade, em geral demonstrada por uma desorientação no tempo e no espaço. Os psiquiatras podem perguntar: "Você sabe que dia é hoje? Você sabe quem é? Onde está?" A incapacidade de responder corretamente a essas perguntas é uma prova bastante clara de desorientação, de uma perda de contato com a realidade e, portanto, de insanidade.

Mas quem não está em contato com seus sentimentos estará apartado da realidade? Se um indivíduo está identificado com a sua imagem ou falso *self*, saberá ele de fato quem é? Se acredita que, privado de poder, será usado e humilhado, ele não é um pouco insano? Em outras palavras, existirá certo grau de insanidade na personalidade narcisista?

Recordemos que, no Capítulo 1, descrevi um espectro de distúrbios narcisistas. Esse espectro incluía a personalidade paranoide, em que descobrimos a presença de megalomania. Mas esta não está limitada aos indivíduos paranoides. Ela pode ser encontrada, em algum nível, em todos os esquizofrênicos. Um paciente psiquiátrico que crê ser Jesus Cristo ou Napoleão vê a si mesmo em termos sumamente grandiosos. Todo esquizofrênico tem uma autoimagem presunçosa, a qual está fora de contato com a realidade. Mas não é irreal toda autoimagem presunçosa? E, se é, a própria grandiosidade não constitui uma expressão de irrealidade e, portanto, um sinal de certo grau de insanidade?

A questão que se apresenta aqui, como em outra parte deste livro, é a seguinte: se o narcisista é, em certo grau, insano e se o esquizofrênico é narcisista, qual é a diferença entre eles e que relação existe entre um e outro? Um critério é o proposto por Bellak, ou seja, a capacidade de adaptação. O esquizofrênico não consegue se adaptar ao ambiente, ao passo que o narcisista, sim. Evidentemente, essa adaptação é superficial, mas, nesse nível, é eficaz e serve, portanto, como uma âncora na realidade ou uma defesa contra a loucura subjacente. Esse conceito pode ser ampliado a todos os neuróticos, uma vez que há certa medida de narcisismo em cada indivíduo neurótico. Isso significa que existe também um elemento de esquizofrenia em todos os neuróticos.[47] Contudo, os diagnósticos clínicos baseiam-se quase sempre na sintomatologia preponderante; assim, as tendências esquizoides e narcisistas que estão no âmago da personalidade são em geral ignoradas.

Na medida em que a identidade da pessoa se baseia numa imagem, ela não está em contato com a realidade do seu ser. Em todos os outros aspectos,

Narcisismo

o indivíduo poderá parecer orientado para a realidade e em total contato com ela, mas existe em sua personalidade uma fratura – talvez apenas uma brecha ínfima – que constitui uma tendência para a insanidade. À medida que o grau de narcisismo recrudesce, a brecha vai ficando cada vez mais pronunciada, mas ainda se situa abaixo da superfície e pode ser encoberta com facilidade. Assim, o espectro de narcisismo também pode ser visto como uma escala de insanidade. Num extremo, estão os narcisistas fálicos, cujo comportamento está tão afinado com a cultura ocidental que sua sanidade não seria sequer posta em dúvida; no outro extremo, estão os esquizofrênicos paranoides, manifestamente insanos. Entre os dois polos estão os caracteres narcisistas, as personalidades de fronteira e as personalidades psicopáticas.

Consideremos as personalidades psicopáticas. Por vezes, seu comportamento pode ser tão estranho e tão autodestrutivo que a sua sanidade mental é facilmente questionada. No entanto, quando investigadas, verifica-se que elas estão bem orientadas para a situação, sua cognição não se mostra afetada e suas respostas parecem lógicas e convincentes.

A ideia de uma insanidade subjacente na personalidade psicopática é a tese defendida por Hervey Cleckley, professor de psiquiatria, em seu livro *The mask of sanity* (A máscara da sanidade).[48] A obra contém numerosas histórias detalhadas de pessoas cujo comportamento é claramente psicopata, envolvendo mentira, roubo, falsificação, embriaguez, exibicionismo público vulgar e promiscuidade sexual. O que surpreende nesses indivíduos é que, falando com eles e ouvindo-os, não se acreditaria no registro documentado de suas ações. Eles impressionam o entrevistador como sinceros, honestos, atentos, inteligentes e perspicazes.

AS HISTÓRIAS DE ANNA E JOHN

Cleckley descreve o caso de Anna, que, aos 40 anos, transmitia a impressão de energia, espontaneidade alegre e juventude radiante. Sua compostura e suas maneiras sugeriram boa criação e educação. Falava simplesmente, mas com inteligência, e estava muito familiarizada com inúmeros assuntos. Comenta Cleckley que, mesmo conhecendo a história de Anna, somos inclinados a rejeitá-la em virtude do "caráter óbvio dessa mulher cativante".

A fim de analisar sua história, cumpre-nos saber que Anna nasceu de pais ricos na primeira década do século 20, na Geórgia. Isso significa que ela foi criada para ser uma "senhora", com luvas brancas e chapéu da moda. A história começa quando Anna, adolescente, estava no ensino médio. Formou-se um grupo de dez rapazes para compartilhar suas experiências dos favores sexuais de Anna. Quando isso se tornou público e notório, os pais dela, horrorizados, mandaram-na para um internato. Sua conduta aí, porém, acabou redundando na sua expulsão. Começando com violações menores, como fumar, matar aulas e ser desrespeitosa, ela prosseguiu mentindo, trapaceando e cometendo pequenos furtos. Esse padrão continuou em mais de meia dúzia de escolas que Anna frequentou. Havia nela um demônio que parecia deliciar-se em escandalizar as pessoas. Numa escola, ela colocou preservativos em todos os sofás da sala onde era permitido a rapazes e moças reunir-se, dispondo-os de modo que ficassem expostos. Suponho que ninguém ficaria chocado com isso hoje em dia, mas a cultura de Anna ainda era vitoriana. Em outra escola, ela escreveu na porta do gabinete do sisudo professor de latim: AQUI, XOXOTA GOSTOSA DISPONÍVEL – BARATO.

Ao deixar a escola, Anna iniciou uma carreira de promiscuidade sexual, incluindo vários encontros em bares e na rua e, ocasionalmente, curras. Depois de beber num local "barra pesada", ela e um grupo de homens saíram de carro para os arredores, e cada homem manteve relação sexual com Anna, revezando-se. Ela se casou, várias vezes, com homens por quem não nutria sentimentos especiais e nunca foi fiel a nenhum deles. Esse comportamento acontecia enquanto Anna "era vista na comunidade como uma mulher idônea, submissa e atraente. A maior parte do tempo ela parecia segura de si, educada e um paradigma do bom comportamento"[49]. Durante certo período, chegou a dar aulas na escola dominical. Suas aulas eram eticamente admiráveis e davam uma forte impressão de sinceridade.

O diagnóstico de personalidade psicopática é claro em decorrência do seu padrão de comportamento, apesar da ausência de qualquer impulso evidente na busca de poder ou de tentativas de autoengrandecimento. Anna nunca demonstrou o menor indício de que sentisse qualquer emoção ligada às suas ações. Mesmo quando suas atividades sexuais e extravagâncias se tornaram conhecidas, ela não demonstrou vergonha, medo nem consternação. Sobre os casos sexuais de Anna, diz Cleckley que, muito provavelmente, "essa mulher tem algo menos do que a motivação sexual comum consciente, sendo a característica mais significativa de suas experiências sexuais a de que, a despeito de respostas mecânicas frequentes, aquilo significou muito pouco para ela"[50].

Narcisismo

A atividade sexual de Anna significou tão pouco para ela porque não havia emoção. Era algo sobretudo mecânico. Sem emoção, ela não podia sentir culpa, vergonha ou remorso. Mas, nesse caso, a grande indagação é esta: por que ela fazia tudo isso se não havia emoção? Qual era a sua motivação? Cleckley não oferece resposta a essas perguntas nem as analisa. Ele faz apenas um comentário muito significativo a respeito de Anna. Reconhecendo que as emoções normais de amor, ódio, alegria e sofrimento estavam ausentes da personalidade adulta da paciente, Cleckley comenta: "Não direi que Anna nunca amou, odiou ou sofreu. Penso ter havido uma época em que provavelmente ela conheceu tudo isso precocemente e num grau além do comum. Tudo isso, porém, está atrás de uma cortina de ferro"[51]. A cortina de ferro é a negação de sentimento, tão característica de todas as personalidades narcisistas.

A atuação psicopata, como a de Anna, pode ser psicologicamente explicada como rejeição dos valores parentais e rebelião contra estes. Apoiados no que a psicanálise nos ensinou, também a explicamos como um revide contra quem a magoou (o pai ou a mãe). Anna pode não ter sentido qualquer pesar acerca da incapacidade de comportar-se como uma criança "normal", mas seus pais com certeza sentiram. Se eles sofreram em consequência do comportamento dela, podemos presumir que, inconscientemente, era esse o objetivo de Anna. O comentário de Cleckley sugere uma mágoa profunda, uma traição amorosa, nos primeiros anos de vida, à qual ela reagiu reprimindo todos os sentimentos. Talvez o pai dela fosse sedutor e depois a rejeitasse, quando vieram à superfície os sentimentos sexuais da filha. Isso não é incomum. Talvez houvesse hipocrisia na família. O cidadão, pai e marido exemplar podia ser um libertino em seu íntimo. Isso também é possível.

Essas suposições podem explicar alguns aspectos do comportamento de Anna. Mas deixam sem resposta a seguinte pergunta: por que ela agiu como agiu? Antes de examinarmos essa, entretanto, consideremos outro dos casos de Cleckley.

Segundo Cleckley, John, médico bem-sucedido, era extremamente respeitado em sua comunidade. Ao contrário de Anna, ele estava bem ajustado à vida. Apesar disso, sua história mostrou certo número de transgressões gratuitas, começando na infância e tornando-se mais sérias à medida que passavam os anos. Por exemplo, ele perdeu várias e promissoras promoções em hospitais por chegar ao trabalho completamente bêbado ou por adotar uma linguagem ou conduta obscena. Viu-se forçado a mudar da cidade em que

175

tinha uma clínica bem conceituada por causa de um escândalo decorrente de uma ida ao bordel. Durante uma farra com um amigo e duas prostitutas, totalmente embriagado, arrancou com uma mordida o mamilo de uma das mulheres. Embora tivesse evitado uma condenação, ao fazer um vultoso acordo monetário com ela, John viu-se forçado a abandonar a cidade. Mas não aprendeu a lição com esse incidente. Episódios de embriaguez até perder a consciência em quartos de hotéis, quebra de móveis e telefonemas para a esposa, anunciando-lhe que ia se matar, prosseguiram com regularidade. Por quê? Que forças impeliam esse homem a um comportamento tão obviamente autodestrutivo? Que força leva qualquer pessoa a beber a ponto de perder o controle sobre suas ações?

A QUESTÃO DO COMPORTAMENTO AUTODESTRUTIVO

Para entendermos o comportamento autodestrutivo, cumpre reconhecer que não pode ser um ato absurdo. Ver qualquer ação como desprovida de significado é negar que a vida tem uma direção interior. Pensar que o id é caótico ou que os nossos impulsos são tão fortuitos quanto o movimento de moléculas contradiz o senso comum. Um organismo vivo é um sistema extremamente organizado e dirigido por dois instintos poderosos – o de autopreservação e o de perpetuação da espécie. O comportamento autodestrutivo contraria diretamente o primeiro desses instintos, mas, apesar disso, ocorre. Algumas pessoas cometem suicídio mas têm suas razões, que são importantes para elas. Outras sacrificam a vida em atos heroicos, sugerindo a existência na personalidade humana de forças mais poderosas do que o instinto de sobrevivência. Uma dessas forças, creio eu, é o sentimento de que a vida tem de ter algum significado. Muitas pessoas encontram o significado suficiente na perspectiva do prazer. Por prazer não entendo o hedonismo sensual ou propenso à volúpia, mas o bom sentimento que vem da saúde e da capacidade de nos entregarmos por inteiro a qualquer atividade que nos seja requerida em dado momento. Assim, uma vida que não ofereça perspectiva do prazer, mas apenas a certeza do sofrimento, não merece ser vivida. Sem outros significados ou razões para viver, o indivíduo poderá ser tentado a pôr fim à sua existência, a fim de evitar a dor e o sofrimento. Tal ação levada a cabo por um paciente com câncer incurável, por exemplo, faria sentido.

É claro, pode-se argumentar que a esperança é a última que morre. Também pode ser levantada a questão ética do direito de alguém a pôr termo

Narcisismo

à própria vida. Se deixarmos de lado os méritos da ação, podemos dizer que, em certas circunstâncias, o suicídio se justifica – ou, pelo menos, faz sentido para a pessoa que o comete. Segue-se daí que outras formas de comportamento autodestrutivo poderiam ser compreensíveis se conhecêssemos o estado interior da pessoa. O alcoolismo, por exemplo, receberia interpretação semelhante à do suicídio – ou seja, que o vício resulta da tentativa de fugir de sentimentos intoleráveis de dor, ansiedade ou frustração. Os alcoólatras conseguem insensibilizar-se para não sentir nenhum tormento interior. É claro, a tentativa fracassa, pois o alívio propiciado pelo álcool é momentâneo, e o regresso à realidade, mais penoso do que antes. Todas essas tentativas de fuga de nós mesmos devem fracassar, pois a única evasão real da vida é a morte.

Além do desejo de fugir à dor, o comportamento autodestrutivo tem outra motivação: o desejo inconsciente de vingar-se de alguém, de fazer outrem sofrer pela mágoa que a pessoa sente. "Vocês vão se arrepender", é o que o suicida diz, com efeito, à família e aos amigos íntimos. Mas não acredito que seja essa a motivação dominante. Meu trabalho com alcoólatras convenceu-me de que, quando o sofrimento interno é eliminado, a dependência do álcool desaparece. O sofrimento resulta de conflitos emocionais não resolvidos que foram reprimidos no inconsciente. Solucioná-los não é tarefa simples nem fácil. Existe uma ira tremenda no alcoólatra, a qual se volta contra o *self* por meio da culpa. Ódio e culpa acerca de sentimentos sexuais constituem provavelmente a base psicológica para o recurso ao álcool. Entretanto, a culpa não surge apenas no alcoólatra. Outros neuróticos também sofrem dela. Além disso, a supressão desses sentimentos não é completa; eles ameaçam irromper a qualquer momento. Quando o esforço para conter esses sentimentos atinge um ponto em que o indivíduo pressente que não pode mais suportá-los, ele volta-se para a bebida.

O que o álcool faz? Não é um sedativo nem um anestésico, embora possa diminuir a ansiedade e a sensibilidade à dor. Tampouco é um estimulante, embora "anime" algumas pessoas. O que o álcool faz é enfraquecer o controle do ego sobre o corpo e derrubar proibições do superego, liberando assim inibições. Por conseguinte, os sentimentos expressam-se com mais facilidade – embora a percepção da emoção seja embotada. As pessoas podem chorar quando tomam uns copos a mais, mas não se sentem de fato tristes; podem enfurecer-se sem ter plena consciência de que estão furiosas. O álcool abre um espaço entre o indivíduo e a realidade, o que permite certo grau de atuação.

Vejamos o caso do alcoolismo de John, o médico descrito por Cleckley. Sua embriaguez ocorria durante farras – um sinal de aumento de tensão, interior ou exterior. Todos nós estamos familiarizados com a pressão no trabalho ou em casa, mas a pressão interna é a mais importante. Surge quando sentimentos suprimidos ameaçam irromper na consciência. De modo geral, isto acontece quando o estresse exterior está reduzido, como em feriados e fins de semana. É nesses dias que muitas pessoas bebem bastante. Incapaz de conter ou suprimir os sentimentos – e também de exprimi-los abertamente por causa da culpa –, o alcoólatra passa a embriagar-se. Quando o controle do ego se desintegra, os impulsos suprimidos irrompem – menos seu conteúdo emocional pleno. O indivíduo também pode mostrar-se violento sem sentir cólera; pode chorar sem sentir-se triste; e pode ter relações sexuais sem amor nem culpa. John concretizou sua hostilidade contra as mulheres arrancando com uma dentada o mamilo de uma prostituta, mas não sentia nenhuma hostilidade. Outras vezes, quebrou móveis e ameaçou sua esposa de suicídio, mas não sentia nenhum ódio por ela. Sob o embotamento da função perceptiva do ego induzido pelo álcool, John podia agir de forma que seria considerada insana se estivesse sóbrio. Mas ele estava embriagado; suas ações não eram levadas a sério nem por ele nem pelos outros.

À luz desse raciocínio, podemos imaginar como era a vida de John? Ele era, sem dúvida, um homem infeliz, que alimentava intensa hostilidade contra as mulheres. No entanto, esforçava-se por levar uma vida respeitável, como médico e como marido. Para tanto, ele negava seus sentimentos, deixando sua vida vazia e sem significado. Para John, embriagar-se e atuar sua hostilidade era um modo de descarregar parte da pressão interna, equivalente à descarga de vapor como medida de segurança. Isso lhe permitia manter a sanidade mental quando sóbrio. Por outro lado, a embriaguez pode ser vista como uma espécie de insanidade temporária. Tem muito em comum com a desorientação de um surto psicótico.

Anna, cujo comportamento promíscuo deixou Cleckley tão perplexo, sugere um quadro semelhante. O que acontece àquele que tem fortes sentimentos sexuais, mas também uma soma incomum de culpa a respeito deles? Isso é o bastante para levá-lo à loucura. Se a culpa não pode ser reduzida, a pessoa reduz a carga do sentimento atuando. Tal como as bebedeiras de John, a promiscuidade de Anna parece ser um meio de descarregar uma parte de sua tensão interior. A masturbação compulsiva serve à mesma função. Ela cessa o acúmulo de um sentimento intolerável.

Narcisismo

Para Anna, a alternativa parecia ser a respeitabilidade com o risco de enlouquecer ou a atuação tresloucada (sexualmente) para proteger sua sanidade. Por que a respeitabilidade criaria esse risco para Anna ou John? Ela não o cria para todas as pessoas. É uma questão de vigor do ego. A respeitabilidade exige o controle do comportamento, e nem todas as pessoas são capazes desse controle. De acordo com minha visão do narcisismo, o vigor do ego varia na proporção inversa do grau de narcisismo. Assim, o narcisista fálico tem o ego mais forte, o caráter narcisista, menos, e as personalidades de fronteira e psicopática, menos ainda.

Creio que essas considerações se aplicam ao uso generalizado de drogas em nossa época. Para muitos, as drogas servem como uma fuga de uma sensação intolerável de vazio e tédio na vida. Como a vida sem sentimento é desprovida de significado, essas pessoas recorrem a qualquer droga que prometa alguma sensação de excitação e força vital. As drogas alucinógenas parecem oferecer isso, mas o aumento de sensação que proporcionam dá-se à custa do verdadeiro sentimento. Todas as drogas são venenos seletivos e amortecem o corpo. É precisamente esse amortecimento do corpo que facilita o recrudescimento de sensações. Mas é possível aumentar a sensação sem drogas. Se desejarmos intensificar a nossa percepção de música, por exemplo, bastará ficarmos imóveis para que toda a nossa consciência se concentre no som. A diferença é que, nesse caso, não amortecemos nosso corpo; apenas o aquietamos.

Algumas drogas, como a cocaína, atuam de modo diferente. Produzem uma sensação de poder e de controle. A pessoa sente-se no topo do mundo e, enquanto usar a droga, conseguirá manter essa sensação. Desprender-se da cocaína, porém, pode ser uma experiência angustiante. Ainda assim, ela pode parecer a droga preferida de alguns narcisistas. Poder e controle são exatamente o que os narcisistas tentam obter por meio de sua autoimagem. Em todo caso, o preço é alto. E acredito que exista algo de insano no uso de drogas e numa civilização que favorece essa prática. Essa insanidade é a perda de contato com a vida do corpo e a fuga para um mundo de fantasia e imagens.

A AUSÊNCIA DE LIMITES

No começo deste livro, sugeri que uma ausência de limites está ligada ao desenvolvimento do narcisismo numa civilização. A nossa época caracteriza-se por um impulso para transcender limites e pelo desejo de negá-los. Limites existem e, factualmente, podemos reconhecê-los. Emocionalmente, porém, talvez não aceitemos a ideia de limites. Acreditamos, ou desejamos acreditar, que o potencial humano é ilimitado. Ciência e tecnologia prometem um futuro em que nos livraremos de muitas das limitações naturais que restringiram nossos ancestrais. Mesmo hoje, podemos viajar a velocidades que eram inconcebíveis quando eu era garoto. Mas é a negação de limites sociais, expressos na moral ou nos códigos de comportamento, que promove predominantemente uma atitude narcisista.

Os limites derivam da estrutura. Conhecendo a estrutura de um objeto, conseguimos determinar os limites de sua possível ação. Por exemplo, um automóvel, em virtude de sua estrutura, não pode voar como um avião ou mergulhar como um submarino. Também os seres humanos são limitados por sua estrutura. Dispondo apenas de duas pernas, não podemos correr tão velozmente quanto um cavalo. Não podemos trepar em árvores como macacos, nadar como golfinhos ou suportar o frio como ursos-polares. A nossa estrutura, entretanto, tem um potencial para o movimento: nossas mãos, para manipular objetos; nossa língua, para falar; nosso rosto, para expressar sentimentos que nenhum outro animal possui. Esse potencial, combinado com um cérebro extraordinário, permitiu-nos transcender os limites de nossa estrutura física pelo uso de ferramentas, máquinas e outros dispositivos. Pode-se ficar tentado a acreditar que estamos ingressando numa nova era, a era do super-homem ou do homem e da mulher biônicos. Se ignorarmos o fato de que nosso corpo e nossos sentimentos não mudaram em nada, estaremos meramente cedendo à grandiosidade do narcisismo. As situações estruturadas também criam limites às ações possíveis. Presumivelmente, o terapeuta não seduz a paciente. O advogado não negocia pelas costas do cliente contra os interesses deste. Se negarmos ou ignorarmos os limites, destruiremos a estrutura. Sem estrutura, a situação torna-se caótica porque vale tudo. Na ausência de estrutura, não existe significado nem ordem.

Quando a estrutura se desintegra numa sociedade, desenvolve-se o caos, que cria uma atmosfera de irrealidade. A alta inflação, por exemplo, mina o valor da moeda, favorecendo uma noção de irrealidade. Esta ameaça nossa sanidade, a menos que desliguemos os sentimentos e utilizemos apenas o pensamento. Foi assim, acredito, que a desintegração da moralidade sexual vitoriana redundou no aumento de atividade sexual apartada do amor ou do sentimento (resumindo-se apenas à sensação). Isso é narcisismo.

Narcisismo

Porém, a velha estrutura precisa desintegrar-se para que uma nova surja. Esse é o processo natural de crescimento. Não devemos, porém, enganar-nos a ponto de pensar que o colapso de uma antiga estrutura representa em si mesmo um progresso. Ela acena com a possibilidade de crescimento, mas não há garantia de que a nova estrutura seja melhor do que a antiga. Historicamente, o colapso de uma sociedade resultou, por vezes, num período de escuridão antes que uma nova luz despontasse. Podemos estar em vésperas de uma dessas épocas, uma nova Idade das Trevas, se não formos capazes de distinguir entre ordem e caos.

Não devemos, sobretudo, considerar a ausência de limites como liberdade. Uma folha soprada pelo vento não é livre em termos humanos. Um indivíduo sem vínculos emocionais com pessoas ou lugares está afastado, não livre. Fazermos tudo o que queremos não nos torna livres. Tal comportamento caracteriza os loucos, que são varridos pelo vento de suas sensações sem uma percepção consciente da realidade.

A ausência de limites resulta na perda da noção de *self*. Os limites são fronteiras. Vimos no Capítulo 7 como a inundação das fronteiras do ego leva à insanidade, quando a pessoa deixa de saber onde termina o *self* e começa o mundo. Sem uma fronteira a separar o indivíduo do meio circundante, não existe *self*. Quando uma gota d'água entra num lago, deixa de ser uma gota individual. A individualidade e o *self* dependem de fronteiras e limites reconhecidos e aceitos. Tais fronteiras asseguram a fixação de sentimentos para que o ego não seja inundado, submerso e perdido. Fronteiras seguras levam a uma noção segura do *self*, o qual pode basear sua identidade em sentimentos.

O colapso da estrutura social manifesta-se na desintegração da vida familiar, a falta de respeito pela autoridade, e o colapso dos princípios morais estabelecidos destrói fronteiras, remove limites e leva à negação de sentimento e perda de senso do *self*. Em vez do *self*, cria-se uma imagem para fornecer alguma identidade. Na cultura de hoje, essa imagem é descrita como um estilo de vida. Dizem-nos que estamos livres para criar os nossos próprios estilos de vida, criando, com efeito, as nossas próprias identidades. Obviamente, podem existir tantos estilos de vida quantas são as diferentes imagens. Mas, quando baseamos nossa identidade num estilo de vida, não estaremos confundindo o artefato com o seu criador, a casa com o seu ocupante, a fachada com o *self* e seus sentimentos? Uma casa sem habitantes não é um lar; um estilo de vida sem um *self* não é uma pessoa.

A ausência de limites é hoje o produto de mudanças tremendas que vêm ocorrendo desde a Segunda Guerra Mundial, em grande parte em consequência de desenvolvimentos tecnológicos deflagrados por essa guerra. Semelhante mudança foi iniciada pela Primeira Guerra Mundial. Mas, para a maioria das pessoas, a consciência dessa mudança é uma questão de conhecimento, não de sentimento. Os jovens de hoje não conseguem analisar o significado das mudanças, pois não têm como comparar a qualidade de sentimento da vida moderna com a dos primeiros anos do século 20. Uma vez que o modo como vivemos não só reflete como determina quem somos, dir-se-ia que a estrutura de caráter da juventude contemporânea é significativamente diferente da de nossos avós. Para entender a diferença, sugiro que comparemos o começo e o final do século 20 em função da qualidade de vida.

REFLEXÕES PESSOAIS SOBRE A "BOA VIDA"

Como a minha vida abrangeu os dois períodos, gostaria de mostrar minha percepção da diferença entre eles. Cresci na cidade de Nova York, numa área que desde então se deteriorou muito. Em minha infância, era um bairro próspero de classe média. Meu pai tinha um pequeno negócio ali, do qual auferíamos uma existência muito modesta. Quando criança, meu mundo pessoal estava limitado ao quarteirão onde eu vivia e brincava. Os outros garotos que moravam nesse quarteirão eram meus amigos e a rua era o nosso parquinho. Reuníamo-nos toda vez que podíamos sair e havia sempre algo a fazer ou um jogo programado. Havia um bonde que passava em nosso quarteirão, mas poucos automóveis ou caminhões, de modo que nos sentíamos seguros brincando nas ruas. Carroças puxadas por cavalos era ainda o modo principal de entrega de suprimentos. Lembro-me de uma tempestade de neve que acumulou quase um metro de neve nas ruas e paralisou toda a atividade no bairro durante dias. Foram necessárias semanas para que os homens, removendo a neve com pás, conseguissem limpar as ruas. Era um mundo pequeno, mas que parecia estável, seguro, empolgante e agradável.

  Minha vida familiar carecia de algumas dessas qualidades. Como já disse, as relações entre minha mãe e meu pai não eram felizes. Minha mãe era ambiciosa; seu lema era "o negócio antes do prazer". Meu pai colocava o prazer antes do negócio e, por conseguinte, sua loja sofria com isso. Ele trabalhava duro, mas nunca foi além do nível de subsistência. Como tantas mulheres com dinheiro limitado, minha mãe também lutava para manter o orçamento equilibrado – fazendo compras, cozinhando, costurando etc. Havia um conflito constante entre meus pais em torno do dinheiro. O sexo estava, porém, na raiz de suas dificuldades, pois minha mãe era tanto contra o sexo quanto meu pai era a favor. Em consequência disso, minha vida familiar era melancólica, embora eu desfrutasse de alguns momentos agradáveis com meu pai. Nenhum dos meus pais tinha qualquer tendência para a violência e a atuação, de modo que me foi poupado esse horror. Num capítulo anterior, descrevi como essa situação determinou meu desenvolvimento pessoal. Tornei-me um caráter fálico-narcisista, consubstanciando a ambição de minha mãe na determinação em vencer na vida e a orientação de meu pai para o prazer e o sexo.

Infelizmente, o mundo desabou justamente quando cheguei à puberdade. A Primeira Guerra Mundial trouxe numerosas mudanças sociais em sua esteira. A década de 1920 foi marcada pela expansão e muitas famílias de classe média prosperaram, mudando-se para bairros melhores. Nos dois anos que se seguiram ao meu 13º aniversário, a comunidade em que eu crescera tinha desaparecido. Meus amigos deixaram o bairro, mas minha família era demasiado pobre para mudar. Outra família estava na mesma situação e fiz amizade com os dois rapazes que lhe pertenciam. Mas eu me sentia deslocado; foi uma adolescência solitária.

Terminei o ensino médio em 1930, quando se iniciava a Grande Depressão. Felizmente, tive a sorte de encontrar algum trabalho temporário no Serviço do Censo que me deu a esperança de construir uma vida. Durante os anos da Depressão, trabalhei como escrevente de cartório e mestre-escola. Em 1934 graduei-me na Faculdade de Direito *summa cum laude* e foi-me oferecido o emprego de oficial de justiça, com seis dólares por semana, que não pude aceitar. Assim, continuei dando aulas por mais treze anos, até abandonar o ensino a fim de me matricular no curso de Medicina.

A decisão de fazer Medicina resultou de meu relacionamento com Wilhelm Reich e do meu desejo de tornar-me terapeuta reichiano. Conheci Reich em 1940, enquanto tentava entender o problema mente-corpo. Num nível consciente, meu interesse provinha do meu trabalho como diretor de esportes durante as férias de verão, mas, inconscientemente, era o resultado da necessidade de curar divisões em minha personalidade. No nível do ego, eu estava identificado com minha mãe e suas ambições; no nível corporal, identificava-me com meu pai e com seu amor ao sexo e ao prazer. Iniciei a terapia com

Reich em 1942, sem entender inteiramente a natureza do meu problema. Com a crescente percepção consciente, veio a compreensão de que eu teria de trabalhar nesse problema toda a minha vida, o que estou fazendo.

O leitor poderá perguntar o que minha história pessoal tem que ver com a questão de cultura e personalidade. Mas eu pertenço a duas culturas diferentes e a tarefa de reconciliar seus valores opostos também foi uma das minhas necessidades. Embora minha infância tenha sido pós-vitoriana, ainda era deveras dominada pela moralidade vitoriana. Recordo-me de quando as saias subiram pela primeira vez para a altura do joelho e as mulheres que as usavam eram apelidadas de "coquetes". Isso foi logo depois do fim da Primeira Guerra Mundial e durou pouco tempo. As saias voltaram a descer até ao tornozelo, mas isso tampouco durou muito. Voltaram a subir uma segunda vez, marcando o fim do domínio dos ideais vitorianos. Mas eu era jovem demais para avaliar o significado daquilo. Uma mudança me impressionou fortemente porque se fez sentir também em casa. Minha mãe cortou o cabelo, como fizeram tantas mulheres no início da década de 1920. Não obstante, lembro-me do choque que tive quando a vi pela primeira vez de cabelo curto *à la garçonne*. Muitas mulheres também começaram a fumar nessa época, mas, como minha mãe não foi uma delas, coloquei-as numa classe diferente.

Cresci com a ideia de que havia duas espécies de moça: as más, que eram sexualmente livres, e as boas, que não o eram. Também acreditava no duplo padrão de moralidade que permitia aos rapazes praticar livremente o sexo sem constrangimento, mas não às moças. Embora a Grande Guerra tivesse desferido um sério golpe nessas distinções, durante a adolescência eu só tinha uma vaga consciência de que emergia uma nova ordem. O meu mundo pessoal também se desintegrara e eu estava desesperadamente empenhado em reconstruir a minha identidade. Não podia prever que me identificaria com as forças que lutavam para libertar a sexualidade das restrições impostas por uma cultura patriarcal e autoritária. Mas devo confessar que, assim como fiquei chocado quando minha mãe cortou o cabelo, fiquei abismado quando vi as primeiras minissaias. Este é um dos problemas associados à mudança – que, embora possamos ajustar nossas ideias e nosso comportamento à nova realidade, a antiga ordem persiste em nossos sentimentos. Se pretendo evitar ser narcisista, não devo negar meus sentimentos, o que me coloca num estado de conflito com a nova moralidade.

Narcisismo

Importantes mudanças ocorreram em outras áreas além da sexualidade. Na década de 1930, consegui comprar um carro, o que ninguém na minha família jamais sonhara fazer. Ser dono de um carro deu-me uma sensação de liberdade e poder, de que eu desesperadamente necessitava para apoiar o meu vacilante amor-próprio. Também propiciou algumas oportunidades de prazer; as estradas não estavam congestionadas e o campo ainda permanecia intacto. O automóvel representou progresso, o que para mim (como para tantos outros) parecia, nessa época, uma bênção. O progresso também trouxe o telefone, o rádio, o sistema de alta-fidelidade, a televisão e outros aparelhos que prometeram e propiciaram algum prazer no começo. Mas tal prazer declinou regularmente. Existem carros demais e dirigir um automóvel tornou-se um motivo mais de tensão do que de prazer. Há aparelhos de TV em excesso; assim, os programas são produzidos para um grande número de telespectadores, o que só pode ser feito reduzindo a qualidade para o mínimo denominador comum. A ideia de que tudo que é demais aniquila o prazer é um dos temas principais deste livro. Mas limitar a participação nos "frutos" do progresso gera uma difícil questão ética. Quem teria direito a gozar desses frutos e a quem competiria determiná-lo são questões a que não posso responder. Se todos os filhos de Deus tivessem todas as vantagens materiais de que os ricos desfrutam, o mundo não seria um lugar conveniente para nele vivermos. O meio ambiente seria destruído por completo. Estamos nos aproximando rapidamente desse ponto agora.

Em minha opinião, a qualidade de vida declinou, ainda que o padrão material tenha subido. Mais pessoas têm mais coisas, desfrutam de mais comodidades e podem ir a mais lugares do que em qualquer outra época da história humana. O progresso promete uma vida mais saudável, melhor, com mais excitação e prazer e na qual as pessoas podem satisfazer suas necessidades e seus desejos sem muito esforço nem sofrimento. Isto soa a nossos ouvidos como a coisa mais próxima do paraíso. É a chamada "boa vida". Pode ser representada por esportes subaquáticos no Caribe, beber coquetéis exóticos numa praia ensolarada, esquiar nos Alpes, jantares para *gourmets*, dançar em discotecas e praticar livremente o sexo. Inclui uma casa no campo ou na praia, viagens à Europa ou até mesmo a volta ao mundo, um barco, roupas sob medida por costureiros famosos etc. Basta ter dinheiro. E para uma pessoa ambiciosa, nos Estados Unidos, não faltam oportunidades para ganhar dinheiro. Isso não era verdade em minha juventude.

De que maneira a qualidade de vida se deteriorou? A maioria das pessoas conhece as respostas a essa pergunta. Conhecemos a poluição do ambiente e a exploração irresponsável da natureza; sentimos as pressões da vida moderna que não nos permitem tempo para ser: para respirar, sentir, contemplar; é-nos constantemente recordada a desmoralização da sociedade nas notícias sobre crimes, violência, corrupção. Mas gostaria de me concentrar na desmoralização do indivíduo em consequência da perda dos valores que eram importantes em épocas anteriores: o respeito a si próprio e a dignidade.

Esses eram valores que eu admirava quando jovem, mas não faziam parte de mim. Assim como eu estava dividido na identificação com minha mãe e meu pai, entre mente e corpo, também estava dividido pelos desejos conflitantes de ser famoso (uma necessidade narcisista) e de ser uma pessoa, de ter individualidade. Em certo sentido, este livro é um testemunho pessoal de minha luta para a realização do *self*. Nessa luta, acabei apreciando a importância do autorrespeito e da dignidade pessoal.

Um dicionário define o respeito por si mesmo como "uma consideração tal pelo próprio caráter que coibirá o indivíduo de praticar ações indignas". Outro fala dele como "o respeito adequado pela dignidade do próprio caráter". Estamos tratando, pois, de valor e dignidade – o que, creio eu, são os opostos de dinheiro e poder.

Um exemplo, para mim, da perda desses valores é uma greve de professores. Não posso deixar de sentir que ser professor é uma posição de honra. Era assim que eu via os docentes quando era jovem. Nem sempre concordava com os meus professores, mas respeitava-os. Sei que eles também eram respeitados no bairro. Mas, naqueles tempos, os professores não entravam em greve nem organizavam piquetes, gritando suas queixas como operários vítimas de desmandos. Eram dedicados à missão que haviam assumido e orgulhavam-se dessa dedicação. Creio que essa situação mudou com o advento do sindicato e sua exigência de mais dinheiro. Eu era professor quando foram tomadas as primeiras medidas de organização sindical da categoria. Fiquei deveras embaraçado quando os profissionais colocaram seus interesses pessoais acima dos das crianças. Eles perderam o meu respeito. Mas, olhando para trás, entendo que o respeito passara a ser uma palavra relativamente destituída de significado depois da Segunda Guerra Mundial. Só o poder parecia impor respeito e, por conseguinte, os professores trataram de organizar-se a fim de dispor dele. Essa seria uma importante lição que as crianças aprenderiam em virtude do comportamento de seus professores.

Do mesmo modo, greves de médicos, enfermeiros e outros profissionais da saúde sempre me pareceram contrárias à sua missão de cuidar dos enfermos. O médico não é um empresário nem um empreiteiro, e seu interesse primordial não deve ser o lucro nem o salário. A enfermagem é mais um trabalho de amor do que mão de obra de aluguel e, como tal, requer alguns sacrifícios. Mas a satisfação e os bons sentimentos que se auferem da ajuda a outros seres humanos necessitados mais do que compensam os sacrifícios.

O leitor pode ver que sou um tanto antiquado em meus pontos de vista, mas também eu pertenço a essa cultura. Posso entender o ressentimento que se pode sentir à vista de tanta gente que não passou por muitos anos de estudo e treinamento mas goza da "boa vida". Se a "boa vida" aí está para quem queira deitar-lhe a mão, por que não agarrá-la? Talvez o problema desta metade do século seja o fato de haver dinheiro demais em circulação. Com tanta prosperidade, parece que o céu é o limite. Sem limites, as pessoas perdem a noção de si mesmas como indivíduos responsáveis – pelo bem-estar da comunidade e de seus membros. Cada um por si é uma posição narcisista não só porque nega as necessidades de outros, mas também por negar as verdadeiras necessidades do *self*.

DIGNIDADE E RESPEITO PRÓPRIO

Um de meus pacientes comentou, ao fim da terapia: "Eu sei o que é ter respeito próprio. Eu estava excessivamente envolvido com as pessoas, atendendo às suas necessidades e furioso quando elas não atendiam às minhas. Agora, vou cuidar de minhas próprias necessidades, de meu próprio corpo. Vou respeitar meus sentimentos e honrá-los".

O verdadeiro respeito olha, por baixo da superfície ou da aparência, para a realidade interior, que é oposta à atitude narcisista. Na mesma ordem de ideias, o respeito próprio baseia-se na apreciação do nosso verdadeiro *self* ou *self* interior, não em nossa aparência ou posição. Temos autorrespeito quando as nossas ações resultam mais de princípios ou convicções profundas do que de motivos de conveniência ou ganho. Impressionar ou manipular os outros acarreta a perda de respeito próprio – e, sem respeito próprio, ninguém respeita os outros. O narcisista não tem respeito por si mesmo.

No nível pessoal, perdemos o respeito a nós mesmos quando aprendemos a manipular nossos pais como eles nos manipularam. Mentimos e simulamos tal como eles mentiram e simularam. Somos sedutores como eles eram. É claro, também, que perdemos o respeito por eles. Os pais que respeitam os sentimentos de um filho ganham e conservam o respeito dele. Mas, em nossa cultura, respeitamos realmente alguma coisa? Não estamos comprometidos com uma filosofia que estabelece o sucesso como meta suprema e considera aceitáveis quaisquer meios para alcançar essa meta? Se, por exemplo, sucesso significa convencer um bebê a comer, é perfeitamente razoável distrair o bebê com um brinquedo enquanto se enfia uma colherada de papinha em sua boca. Na filosofia do sucesso, o fim justifica os meios.

Outra qualidade que parece estar faltando nos dias de hoje é a dignidade. Soa como uma palavra obsoleta. Raramente a ouço agora. Em seu lugar, ouço falar muito de poder. A busca de poder exclui a possibilidade de dignidade porque o poder representa a tentativa de compensar um sentimento interior de humilhação. Se tenho poder, ninguém se atreve a me humilhar. Mas, como todos os mecanismos compensatórios, a necessidade de poder ou dinheiro confirma e reforça o sentimento íntimo de humilhação, apesar dos esforços para negá-lo.

Dignidade é o modo como nos portamos. A palavra deriva do latim *dignitas*, que significa "mérito", "merecimento". Um dos significados registrados no dicionário é o de "caráter que inspira ou impõe respeito". Caráter e conduta estão relacionados. Postura e comportamento expressam o caráter de um indivíduo. As pessoas inspiram ou impõem respeito. É interessante notar a associação de respeito e dignidade (ambas oriundas da ideia de merecimento). Ambas são qualidades que faltam nos narcisistas.

Existem dois aspectos de uma postura digna: o modo como a pessoa se movimenta e o porte que imprime a seu corpo. É indigno, por exemplo, andar correndo de um lado para o outro, aos atropelos, como um rato em busca de um buraco onde se enfiar. O movimento digno é solene, lento, pausado, como se a pessoa tivesse tempo – para ser e para sentir. Não há dignidade na atividade frenética dos habitantes de uma grande cidade, que não têm tempo a perder. Não há dignidade na busca infatigável de prazer que caracteriza o novo hedonismo. Mas a dignidade não tem grande valor numa cultura devotada ao progresso, ao poder e à produtividade. Como tempo é dinheiro, na moderna cultura, são raros os que podem dar-se ao luxo de ter dignidade.

Para ter uma postura digna, o corpo deve estar ereto, de cabeça erguida. Uma postura de ombros caídos denota falta de dignidade, porque expressa uma atitude própria de quem carrega um grande fardo. O desabamento corporal característico da atitude masoquista também indica uma perda de dignidade, já que expressa submissão.[52] Mas a postura ereta que exprime a noção de dignidade não é aquela empertigada, rígida, que se vê em alguns indivíduos narcisistas. Isso é apenas pose. O porte ereto de um corpo saudável resulta de um poderoso fluxo de excitação ao longo da coluna vertebral, semelhante ao processo da ioga Kundalini. Essa carga mantém a cabeça elevada. A postura expressa também um sentimento de orgulho natural, o que difere do narcisismo na medida em que se baseia no *self* e não na imagem. Tal postura só é possível se o corpo estiver livre de tensão muscular crônica e, portanto, livre também dos conflitos suprimidos oriundos da infância.

Há uma correlação interessante entre dignidade e sexualidade. A mesma carga que, fluindo de baixo para cima, produz a postura característica da dignidade, fornece carga e excitação sexual quando se desloca de cima para baixo no homem. O pênis ereto é a contraparte psicológica da cabeça ereta. Mas não é apenas a carga nos genitais que representa a sexualidade da pessoa; é também a carga e a sensibilidade na pelve. Esta é homóloga à cabeça na estrutura dinâmica do corpo. Assim como a cabeça de um animal fica bem erguida quando ele está livre e orgulhoso, também fica sua cauda. Essa caracterização aplica-se tanto à mulher como ao homem. Descrevemos uma pessoa vibrante de sentimento como tendo "olhos brilhantes e rabo empinado". No estado natural, a pelve projeta-se para trás e movimenta-se com soltura, acompanhando livremente os movimentos do corpo. A posição recuada corresponde à cauda empinada. O seu oposto é visto num cão assustado, cuja cauda é enfiada entre as pernas com a pelve empurrada para diante.

Na posição para a frente, a pelve encontra-se em estado de descarga. Qualquer excitação que flua para ela será canalizada diretamente para os genitais. Na posição para trás, a pelve conterá a carga. A pelve pode ser equiparada ao cão de uma arma de fogo – que é armado puxando-o para trás. Dizemos que está engatilhado. Outra metáfora aplicável é o arco e a flecha. É necessário puxar a corda do arco e a flecha para trás a fim de que o arco fique tenso e forneça a força que impele o disparo da flecha. Com a pelve mantida à frente, é muito difícil executar os movimentos sexuais normais de impulsão. Tal movimento é fácil quando a pelve é primeiro puxada para trás, como o cão de uma pistola. Quando a pessoa mantém a pelve solta na posição recuada, adquire uma postura petulante (de cauda arrebitada). Essas posições pélvicas têm influência sobre nossa dignidade. Quando a pelve é empurrada para a frente, a ereção natural do corpo desintegra-se. Esta afirmação pode ser verificada mediante um simples exercício. Numa posição de sentido, experimente puxar para diante a pelve e notará como o seu corpo descai se não for compensado com uma rigidez forçada. Agora, empurre a bacia bem para trás e observe como seu corpo se endireita naturalmente. Parece óbvio que a verdadeira dignidade está associada à – e baseada na – identificação com o corpo e sua sexualidade. Um dos exercícios clássicos em análise bioenergética é a posição em arco, a qual ajuda o paciente a sentir a posição da pelve e a reduzir parte das tensões musculares que restringem sua mobilidade. Essa posição será descrita mais adiante, quando falamos de *grounding*.

A chave para a dignidade é a sensação de ter os pés firmemente plantados na terra. Nossas pernas e nossos pés são como raízes de uma árvore que não só ancoram a árvore em sua realidade, mas também fornecem a base para o impulso ascendente de seu crescimento. As pernas e os pés de uma pessoa são o seu sistema de apoio e proporcionam o alicerce para sua noção de *self*. Se ela tem um contato sensorial com a terra, através das pernas e dos pés, está ligada à realidade do seu corpo como consubstanciação do seu ser. Faltando-lhe esse contato, diz-se que a pessoa não tem os pés no chão – está no ar ou na cabeça e ligada sobretudo às imagens que aí residem.

Dois exercícios são eficazes para promover o *grounding*, como é denominado o processo de estabelecer um contato sensorial com o chão ou a terra. Um deles é o arco acima mencionado. Para executar esse exercício, deve-se ficar em pé com os pés afastados uns 60 cm, os dedos ligeiramente voltados para dentro a fim de permitir a rotação das coxas, reduzindo a tensão nas nádegas. Os joelhos estão dobrados, o peso do corpo recai sobre as almofadas das plantas dos pés e o corpo está levemente inclinado para trás. Isso pode ser feito facilmente se os punhos forem colocados sobre os rins. A pelve não deve ser empurrada para diante, porém mantida solta atrás. (Se a pelve for mantida ou empurrada para a frente, quebra-se a linha do arco, interrompendo-se o fluxo de sentimento para a parte inferior do corpo.) Deixa-se o ventre para fora, a fim de que a respiração seja abdominal. Se a respiração é profunda e fácil, sentimo-nos ligados aos pés e ao chão. As pernas e até mesmo a pelve podem vibrar espontaneamente se o corpo estiver bastante relaxado. A posição deve ser mantida por, pelo menos, um minuto.

O exercício seguinte é uma inversão do arco e pode ser executado depois dele ou independentemente. A pessoa inclina-se para a frente até que as pontas dos dedos toquem o chão. Os pés estão afastados 30 cm e ligeiramente voltados para dentro. Os joelhos estão dobrados apenas o bastante para que as pontas dos dedos toquem levemente; o peso do corpo recai sobre as almofadas das plantas dos pés. Uma vez mais, a chave está na respiração. Sem uma respiração livre e plena, pouquíssima sensação se desenvolve. Se os músculos dos jarretes estão tensos, como estão na maioria das pessoas, distendê-los suavemente, endireitando os joelhos, aumenta a sensação nas pernas e pode induzir uma vibração espontânea que poderá estender-se à pelve. Sugiro que se mantenha essa posição por um minuto ou mais. Por vezes, sensações de formigamento surgem nos pés se o indivíduo hiperventilar, isto é, respirar mais profundamente do que está acostumado. Quando isso acontece, basta reduzir a profundidade da respiração. Quase todos descrevem a experiência de vibração como uma sensação agradável. Também relatam que sentem mais as pernas do que antes; são até capazes de sentir um melhor contato com o chão.

Faço regularmente esses exercícios há cerca de 30 anos. Não são os únicos que realizo, mas estes são básicos para o meu plano de exercícios. Ajudaram-me deveras a aprofundar a respiração, reduzindo a tensão no meu corpo e dando-me uma noção melhor de quem sou. Meu objetivo não é melhorar a minha aparência, mas aumentar a vitalidade do meu corpo, o que ajuda a sentir-me melhor e, por conseguinte, a ter uma aparência melhor.

A IRREALIDADE ATUAL

Sem uma sensação de contato com o corpo, como a que esses exercícios ajudam a promover, perde-se a ligação com a realidade. E isso foi o que aconteceu a muita gente nos dias de hoje. O modo mais simples de caracterizar a irrealidade do mundo moderno é dizer que ele está fascinado por imagens. Creio que isso explica a grande admiração que muitos têm pelas modelos. Parece haver uma aura de superioridade em torno de um modelo. A própria palavra tem como um de seus significados "digno de imitação". E as modelos são imitadas, não só no que se propõem mostrar, mas também no que são. Twiggy estabeleceu um estilo para toda uma geração de mulheres. Pode-se questionar se a modelo fixa um estilo ou simplesmente o exibe. Mas o estilo de um modelo é o que muitos jovens de ambos os sexos tentam adotar, isto é, ter uma aparência bonita, excitante, glamorosa, exuberante, desenvolta, apaixonada, sedutora, de macho etc. O importante é a aparência. E, como a aparência vende, os modelos são muito bem pagos se tiverem essa configuração especial. Mas o modelo é uma pessoa que posa para ganhar a vida, um manequim vivo que os publicitários e fotógrafos dirigem e usam. Não é uma profissão associada à noção de dignidade, embora não envolva necessariamente qualquer abdicação do respeito a si mesmo.

Mas, pergunto-me, pode uma pessoa ser modelo e, apesar de tudo, continuar vibrantemente viva? Conheci e trabalhei com numerosos modelos, homens e mulheres. Em todos os casos, fiquei impressionado com sua falta de vivacidade e apatia. Posar era fácil para eles, pois exigia pouco esforço arvorar uma expressão estereotipada. Além disso, sua apatia não distrai o eventual cliente do objeto que eles estão vendendo. Em 1949, quando minha mulher Leslie e eu estávamos morando em Genebra, onde eu frequentava a Faculdade de Medicina, uma amiga sugeriu que ela desfilasse no ateliê de um estilista. A amiga estava fazendo a mesma coisa na loja e pensou que, como minha mulher era muito atraente e tinha uma figura esbelta, daria um excelente modelo. Leslie veste com extrema elegância e, na juventude, trabalhara como modelo em lojas de departamento. Na entrevista, Leslie apresentou diversos vestidos, desfilando diante dos proprietários. No final, foi informada de que não poderiam contratá-la. Explicaram que os vestidos significavam muito pouco nela. Leslie ficava bem com qualquer roupa e, além do mais, a vivacidade de suas maneiras desviaria a atenção dos vestidos para ela.

O problema com a vivacidade é que não pode ser traduzida numa imagem. Pela própria natureza, uma imagem tem uma qualidade estática ou parada, ao passo que a vivacidade nunca pode ser estática nem apática. Um filme cria a ilusão de animação, mas não uma imagem de vivacidade, que deve ser estática. Como as imagens podem ter considerável valor comercial, elas tornam-se muito importantes numa cultura em que a notoriedade e o dinheiro são valores dominantes. Visto que uma imagem é a antítese da vivacidade, esta última sofre quando a imagem passa a ter importância suprema. Somente as imagens podem ser usadas para vender bens ou serviços; por conseguinte, a vivacidade não tem valor comercial. Numa sociedade comercial – uma sociedade de imagens –, notoriedade e dinheiro estão intimamente ligados porque a popularidade de uma imagem é o seu maior bem.

A ligação entre perda de vivacidade e fascínio pelas imagens fica sobretudo evidente em nossa ligação com a TV e o vídeo. Todos sabemos que a superexposição à televisão tem um efeito depressivo sobre a vivacidade do corpo. Embora sejamos constantemente estimulados por imagens, não temos

Narcisismo

um modo de descarregar a excitação. O espectador passivo deve "amortecer" o corpo a fim de permanecer no controle. Tenho ouvido numerosas pessoas queixar-se de que, assistindo televisão por várias horas, sentiam-se mais cansadas do que antes. Eu mesmo já experimentei essa reação. Isso explica o efeito hipnótico que a pequena tela possui. Quando começamos a ver um programa, continuamos vendo-o quase contra a nossa vontade, um após outro. Tendo-nos rendido à passividade de espectadores, logo perdemos a energia para retomar uma vida ativa. Esse processo de amortecimento faz que nos voltemos para a TV em virtude de seus estímulos – o que, claro, cria um círculo vicioso: a perda de vivacidade leva à necessidade de estimulação, que por sua vez produz mais amortecimento.

Existem alguns aspectos positivos na televisão. Todos temos desfrutado de excelentes programas, o que aumenta a nossa esperança de que toda vez que ligamos o aparelho algo interessante será apresentado. Mas essa promessa de excitação, como toda as promessas sedutoras, quase nunca é cumprida. Embora uma boa programação seja rara, a sedução do espectador é perene. Independentemente da qualidade do programa típico, as pessoas estão presas à televisão. Acredito que uma importante razão para sua popularidade é que ela torna as pessoas capazes de evadir-se de si mesmas. Ver televisão tem alguns aspectos de um fenômeno regressivo. O espectador é passivamente entretido como um bebê, sem nenhuma reação esperada e com poucas exigências para que exerça sua imaginação. Se a regressão – que não leva a um aprofundamento do *insight* e a um movimento para diante – é uma forma de escapismo, outra forma é ficar tão absorto nas imagens e na história na tela que se perde o contato com as necessidades e responsabilidades da vida. O mundo irreal da tela substitui, por algum tempo, o mundo real de sentimentos e relações pessoais.

As tendências escapistas são muito fortes em nossa sociedade. O uso generalizado de drogas e álcool, sobretudo por jovens, é exemplo disso. Acredito que os jovens voltam-se para as drogas porque não conseguem fazer frente a toda superestimação a que estão submetidos. As drogas e o álcool oferecem-lhes uma forma de escapar a uma situação intolerável. Outra forma de escapismo consiste no envolvimento em experiências místicas. Nelas, a pessoa sente-se identificada com o cosmos, uma força universal, a divindade etc. O âmago da experiência é transcender ou sair do *self,* o qual se acredita restringir ou confinar o espírito. Os místicos tentam conseguir esse estado de união com a força universal pelo jejum, pela negação do desejo e pelo desprendimento do mundo cotidiano, mas os ocidentais que buscam a experiência mística querem estar em ambos os mundos. Não vejo essa busca como uma verdadeira aventura espiritual mas, sobretudo, como uma tentativa de fugir ao *self,* o qual se tornou um fardo para a pessoa porque ela não consegue dominar os sentimentos. Em minha opinião, esse envolvimento com o misticismo é uma manobra narcisista, evidente no fato de que muitos desses indivíduos se consideram superiores à humanidade comum que luta com os problemas da existência cotidiana. Fernão Capelo Gaivota fez um esforço semelhante para transcender sua existência mortal.

O escapismo é também um fator em muito do fascínio que as pessoas sentem pelo espaço. Os filmes que retratam aventuras e guerras espaciais têm um êxito de bilheteria quase inacreditável, embora mostrem criaturas estranhas em situações irreais. As pessoas reagem como se tais filmes fossem mais significativos ou reais do que as lutas concretas em que estão empenhadas. Nas fantasias de guerra espacial, o conflito é sempre iniciado por potências hostis que procuram dominar e subjugar um povo democrático e amante da paz. O combate é sempre entre o bem e o mal. As forças de cada lado, ainda que irreais, podem pelo menos ser identificadas. Por outra parte, o sentimento de segurança e bem-estar da pessoa comum na vida real é ameaçado por forças impessoais que não são facilmente identificáveis: forças econômicas, como inflação e desemprego; forças políticas, como guerras e corrupção; e forças sociais, como violência e burocracia. Contra essas forças, o indivíduo sente-se impotente, tal como se sentiu quando criança sob o domínio dos pais. Ele pode escapar temporariamente a esse sentimento de impotência perdendo-se no espaço sideral – onde, nos filmes, o bem e a justiça acabam sempre triunfando. O que pode documentar melhor a irrealidade dos nossos tempos do que essa inversão? Imagens do espaço, as quais não têm realidade objetiva, evocam, não obstante, sentimentos mais reais do que a vida cotidiana na Terra.

Em sua imaginação ou na realidade, o indivíduo moderno parece necessitar de uma sensação de poder para superar o desespero interior decorrente da experiência de ser impotente quando crianças e quando adultos. Mas é ilusão acreditar que o poder seja capaz de resolver os complexos problemas humanos. A irrealidade do mundo moderno é sua fé no poder. Deus foi substituído pelo Super-Homem. E, embora este seja apenas uma imagem, ele representa a crença de que, com suficiente poder (conhecimento e dinheiro), o

Narcisismo

homem pode endireitar o mundo. Com suficiente poder, ele pode controlar seu destino e determinar sua sorte. Talvez necessite da ajuda da Supermulher para realizar essa tarefa. A imagem dela ganha forma rapidamente. Essa é a filosofia subentendida na revolução tecnológica que produziu a chamada Era da Informação. Dada a informação suficiente, o céu é o limite para o que podemos fazer. A meta suprema é eliminar a doença, derrotar a velhice e vencer a morte. Finalmente nos tornaremos imortais, deuses. Existirá maior megalomania do que essa? Nossa aspiração à divindade reflete-se em nossa busca de onisciência, em nossa luta pela onipotência e em nosso desejo de imortalidade. Mas, enquanto existir um deus ou alguma força superior a quem atribuímos essas qualidades, permanecemos dentro dos limites da natureza humana. Reconhecemos que nosso conhecimento, nosso saber, é sempre incompleto, que nosso poder será sempre insuficiente para afetar nosso destino, que somos mortais. Esse reconhecimento é a base da humildade e da humanidade. Permite-nos dizer: "Não sei". E permite-nos ter empatia pelos outros, pois admitimos as características que nos são comuns como seres humanos. Reconhecendo e aceitando os nossos limites, tornamo-nos verdadeiras pessoas, não narcisistas.

A irrealidade da "boa vida" é que, apesar de sua aparência e de sua aura de prazer, é uma vida sem alegria. Não estou dizendo que não existe alegria no mundo. Ela está faltando, porém, nesse estilo de vida. Observando os hóspedes do Hyatt Hotel, em Kaanapali (Havaí), um hotel luxuoso num cenário esplendoroso, não consegui ver alegria no rosto nem no corpo deles. Com exceção das crianças que brincavam na piscina, não vi uma centelha de vida exuberante nos veranistas. Não enxerguei o menor indício de prazer verdadeiro no que eram ou faziam. Reconheço que se trata de uma observação geral, que pode não valer para cada uma das pessoas ali presentes, mas corrobora a minha tese de que a "boa vida" é mais exibição do que sentimento.

Em minha opinião, a irrealidade de nossa era em parte nenhuma é mais evidente do que em Las Vegas – que, como localidade, carece de qualquer encanto. No entanto, deve oferecer alguma coisa, pois as pessoas para lá acodem em grande quantidade. Os grandes hotéis e cassinos erguem-se como palácios de Kublai Khan. Foram projetados para ser irreais, lugares de contos de fadas onde as pessoas podem evadir-se de si mesmas. As luzes, a música e as atividades bombardeiam os sentidos, esmagando todo o senso de realidade. Obviamente, as pessoas necessitam desse estímulo; ele deve fazer com que se sintam vivas. E essa é a natureza do novo hedonismo. Não é uma obsessão com o prazer, mas uma busca de estimulação e sensação para superar a ausência de sentimento em corpos embotados. O jogo em Las Vegas também serve a esse propósito. Do ponto de vista dos donos dos cassinos, a atmosfera de irrealidade ajuda os clientes a entregar o dinheiro mais facilmente, pois também o dinheiro adquire aí uma qualidade irreal. Observando a fisionomia das pessoas nas mesas de jogo ou nas máquinas caça-níqueis, vi o desespero do seu desejo de ganhar. Trata-se de uma excitação negativa, que não leva a um prazer autêntico.

O conceito de excitação negativa é pertinente para o problema narcisista. Como qualquer outra pessoa, o indivíduo narcisista necessita de excitação em sua vida; mas, tendo negado seus sentimentos, não consegue experienciar a excitação do anseio e da paixão. Portanto, busca essa excitação no desafio de ganhar ou perder, nas lutas pelo poder e nas situações de perigo. Sua excitação deriva do elemento de ameaça – de perda de dinheiro, de poder ou da própria vida – e de sua capacidade para derrotar a ameaça. Entretanto, para ele, vencer é menos importante do que não perder. O dinheiro que pode ganhar no jogo ou o poder que pode obter significam pouco em si mesmos. Vencer alimenta o seu ego, mas fornece pouco do prazer necessário em nível corporal. O único prazer real que o narcisista aufere é da superação do perigo e da remoção da ameaça. A excitação provém do elemento negativo na situação; seu prazer é mais alívio do que satisfação.

O prazer é uma experiência vital positiva.[53] Um copo de água fresca quando se tem sede é um exemplo de prazer real. Seria muito difícil igualar esse prazer com o mais requintado dos coquetéis. Do mesmo modo, qualquer boa refeição é agradável quando se tem fome. Por outro lado, comer a melhor iguaria quando não se tem fome pode ser deveras penoso. Todos conhecemos o prazer de ceder ao sono quando estamos cansados e sonolentos. Entretanto, conhecedores desses simples prazeres, são raros os que entre nós organizam sua vida em torno deles. Comemos e dormimos em horas estabelecidas, independentemente do que sentimos. É raro nos permitirmos ficar de fato sedentos ou famintos; água e alimento são facilmente acessíveis. Nesse sentido, a nossa riqueza material é uma desvantagem para a fruição da vida. Aqueles que vivem mais perto do nível de subsistência podem sentir mais desconforto, mas também conhecerão o grande prazer da satisfação plena quando suas necessidades básicas são supridas.

Narcisismo

O desejo é a chave para o prazer. A quantidade de desejo que uma pessoa pode sentir é determinada pelo seu grau de vivacidade. Os mortos não têm desejo, deprimidos têm pouco desejo e os idosos têm menos desejo do que os jovens. As crianças, sendo as criaturas dotadas do máximo de vivacidade, sentem maior desejo e têm maior prazer quando seus desejos são realizados. Vi meu filho pequeno literalmente pular de alegria quando obteve algo que queria muito. Ele não conseguiu conter a excitação, que era forte demais. Esse é o segredo da alegria: ficar tão empolgado que se é dominado por ela. Mas, para sentir alegria, é preciso estar livre de ansiedades sobre ceder ao sentimento e expressá-lo. Ou, em outras palavras, é preciso ser tão despreocupado e inocente quanto uma criança. Os narcisistas não são despreocupados nem inocentes. Aprenderam a fazer o jogo do poder, a seduzir e a manipular. Estão sempre pensando em como as pessoas os veem e reagem a eles. E têm de estar permanentemente no controle, porque a perda de controle suscita o medo da loucura.

Estou certo de que alguns de nós têm conhecido momentos de alegria, quando nosso ego adota uma posição discreta e a criança que em nós existe está livre para rir e amar. Infelizmente, perdemos a inocência cedo demais e, o que é ainda mais lamentável, prezamos essa perda. Não queremos ser inocentes, pois isso nos deixa vulneráveis ao ridículo e à mágoa. Queremos ser sofisticados – isso nos permite sentirmo-nos superiores. As pessoas sofisticadas parecem ser as que mais se divertem – organizando festas, bebendo, fazendo pequenas loucuras, negando limites. O que possuem os inocentes? Um coração aberto e generoso, prazeres simples, fé. Muito mais fascinante é ter uma mente aguçada; conhecer tudo da vida, os baixos e os altos; ter poder, ser admirado, sentir-se especial. É difícil resistir à sedução do poder, sobretudo quando, na infância, o indivíduo foi magoado e traído por aqueles a quem amava. Liquidar o reino do céu em troca do poder é uma transação diabólica. É a transação feita pelo narcisista.

Notas

1. Esse tipo de dissociação é o mecanismo básico subjacente ao processo esquizofrênico. Para uma análise mais completa e detalhada desse conceito, veja: LOWEN, A. *O corpo traído*. São Paulo: Summus, 1979.
2. RUBIN, T. I. "Goodbye to death and celebration of life". *Event*, v. 2, n. 4, 1981, p. 64.
3. KERNBERG, O. *Borderline conditions and pathological narcissism*. Nova York: Jason Aronson, 1975, p. 264.
4. *Ibidem*, p. 231.
5. FREUD, S. "Introdução ao narcisismo". *Obras completas – volume 12*. São Paulo: Companhia das Letras, 2010.
6. Sempre que possível, indicaremos as versões em português das obras citadas.
7. *Ibidem*, p. 22.
8. BALINT, M. *The basic fault*. Nova York: Brunner/Mazel, 1979, p. 20.
9. Embora os membros de todos os cinco grupos possam ser classificados de "narcisistas", pode surgir certa confusão com o termo "caráter narcisista". Aqui, ele se refere apenas às pessoas com esse tipo particular de narcisismo.
10. A distinção entre ego e *self* será mais bem esclarecida no Capítulo 2.
11. REICH, W. *Análise do caráter*. São Paulo: Martins Fontes, 1998, p. 209.
12. *Ibidem*, p. 210.
13. A expressão "caráter histérico" foi usada pela primeira vez por Wilhelm Reich para descrever uma estrutura da personalidade na mulher que fosse paralela ao homem fálico-narcisista (*ibidem*, p. 189); também utilizei essa designação na minha exposição de tipos de caráter em *The language of the body* (Nova York: Macmillan, 1971). Nessa estrutura de caráter, tal como no homem fálico-narcisista, os sentimentos podem ser muito intensos, levando a uma mistura de elementos histéricos e narcisistas na personalidade. A força da segunda, derivando de uma cultura menos restritiva, impede a acumulação de sentimento reprimido a um ponto explosivo.
14. MASTERSON, J. F. *The narcissistic and borderline disorders*. Nova York: Brunner/Mazel, 1981, p. 30.
15. *Ibidem*, p. 12.
16. *Ibidem*, p. 44.
17. HARRINGTON, A. *Psychopaths*. Nova York: Simon & Schuster, 1972, p. 18.
18. *Ibidem*, p. 18.
19. LOWEN, A. *O corpo traído, op cit.*
20. Tespiano (ou tespieu): oriundo de uma antiga cidade grega da região da Boécia. *Britannica*, v. 11, 1995, p. 705. [N. E.]
21. FREUD, S. "Introdução ao narcisismo", *op cit.*, p. 11.
22. LASCH, C. *A cultura do narcisismo*. Rio de Janeiro: Imago, 1979.
23. LOWEN, A. *Medo da vida*. São Paulo: Summus, 1986.
24. Para uma descrição do banco bioenergético, veja: LOWEN, A.; LOWEN, L. *Exercícios de bioenergética*. São Paulo: Ágora, 1985.

25. Em análise bioenergética, usa-se uma cama em lugar do divã, pois os exercícios expressivos – como agredir, esmurrar ou dar pontapés – não podem ser feitos nele.
26. LOWEN, A. *Medo da vida, op cit.*
27. Acredito que a situação edipiana é mais ou menos universal em nossa cultura, mas que isso não a torna natural. Como sublinhei em *Medo da vida*, ela deriva das lutas de poder na família. É natural que toda criança tenha sentimentos sexuais pelo genitor do sexo oposto, mas esses sentimentos, em minha opinião, não conduzem a uma situação competitiva com o genitor do mesmo sexo. Esta situação resulta do ciúme de um dos pais pela atenção dedicada à criança pelo outro, que é sedutor. Quando a sedução ocorre, a criança é colocada numa posição competitiva com o genitor do mesmo sexo.
28. Em meu livro *Medo da vida,* mostrei como a aquisição de poder por seres humanos criou a situação edipiana, a qual advém da luta pelo poder na família. Por meio do poder, o homem afirmou seu domínio sobre a natureza e sobre as mulheres, as quais identificou com a natureza. Politicamente, as mulheres tornaram-se cidadãs de segunda classe e, sob o direito romano, seus bens pertenciam a seus maridos. Ainda hoje, as mulheres estão lutando contra as injustiças desse sistema.
29. Masterson, J. F., *op cit.*, p. 72.
30. *Ibidem*, p. 188.
31. Para descrição detalhada desses exercícios, veja: LOWEN, A.; LOWEN, L., *Exercícios de bioenergética, op cit.*
32. Freud postulou que a ameaça de castração redunda numa resolução positiva do conflito edipiano. Não concordo. Do meu ponto de vista, o conflito é resolvido temporariamente à custa da sexualidade da criança. (FREUD, S. "A dissolução do complexo de Édipo". In: *Obras completas – volume 16*. São Paulo: Companhia das Letras, 2011.)
33. LOWEN, A. *O corpo traído, op cit.*
34. LOWEN, A. *Prazer – Uma abordagem criativa da vida.* São Paulo: Summus, 1984.
35. O conceito de expectativas biológicas derivadas da história evolutiva de uma espécie foi competentemente exposto por Jean Leidloff em *The continuum concept* (Londres: Futura, 1975).
36. MCKINNEY JR., W. F.; SISOUMI, S. S.; HARLOW, H. F. "Studies of depression". *Psychology Today,* maio 1971, p. 62.
37. Veja: SPITZ, R. "Anachtic depression". In: *The study of the child*, v. 2. Nova York: International Universities Press, 1946. Veja também: BOWLBY, J. *Cuidados maternos e saúde mental.* São Paulo: Martins Fontes, 2002.
38. ABRALIAMSEN, D. "Unmasking son of Sam's Demons". *New York Times Magazine*, 1º jul. 1979.
39. *Ibidem.*
40. FREUD, S. "Além do princípio de prazer". In: *Edição standard brasileira das obras psicológicas completas de Sigmund Freud, volume XVIII*. Rio de Janeiro: Imago, 1996, p. 40.
41. *Ibidem.*
42. *Ibidem*, p. 42.
43. *Overload,* escrito por Leopold Bellak (Nova York: Human Sciences, 1975), descreve a mesma condição, que ele atribui à superestimulação oriunda de fatos sempre mutáveis. A sobrecarga reduz a capacidade do indivíduo de enfrentar novas situações; ele só o faz de maneira superficial.
44. Para ter uma análise desses dois modos de existência (um baseado em sentir e outro em agir), veja: Lowen, A. *Medo da vida, op cit.*
45. MILLER, A. *O drama da criança bem-dotada – Como os pais podem formar (e deformar) a vida sentimental dos filhos.* São Paulo: Summus, 1997.
46. Bellak, L. *Overload, op cit.*, p. 23.
47. Esse conceito é mais detalhado em meu livro *O corpo traído, op cit.*

48. CLECKLEY, H. *The mask of sanity*. Saint Louis: C. V. Mosby, 1955.
49. *Ibidem*, p. 152.
50. *Ibidem*, p. 148.
51. *Ibidem*, p. 153.
52. Na obra *The language of the body* (*op cit.*), faço uma análise detalhada da relação entre postura corporal e caráter.
53. Em meu livro *Prazer* (*op cit.*), discuto em detalhe a natureza do prazer.

Agradecimentos

Desejo expressar meus agradecimentos ao dr. Michael Conant e a Mirra Ginsburg, que leram partes do texto original e ofereceram algumas boas sugestões; a Marion Wheeler, editora na Macmillan, cujos conselhos fortaleceram substancialmente este livro, e a Ruth Mackenzie, do International Institute for Bioenergetic Analysis, que com bondade datilografou e redatilografou o manuscrito.

leia também

UMA VIDA PARA O CORPO
Autobiografia de Alexander Lowen
Alexander Lowen

Neste livro, o pai da bioenergética faz um relato emocionante da própria vida e mostra como essa forma de psicoterapia – que integra magistralmente mente e corpo – ajuda-nos a resolver problemas emocionais e atingir o máximo potencial para construir relacionamentos saudáveis. A obra é um presente para os admiradores de Lowen e uma introdução deliciosa para os que não o conhecem.
REF. 10699   ISBN 978-85-323-0699-9

ANATOMIA EMOCIONAL
Stanley Keleman

Uma profunda reflexão sobre as conexões entre a anatomia e os sentimentos, a forma e as emoções. O autor é pioneiro no estudo do corpo e sua relação com os aspectos emocionais, psicológicos, sexuais e imaginativos da experiência humana. Um dos principais representantes da linha neo-reichiana nos EUA.
REF. 10379   ISBN 978-85-323-0379-0

BIOENERGÉTICA
Alexander Lowen

Neste livro, que se tornou um clássico da psicoterapia, Alexander Lowen explica as bases da terapia bioenergética e mostra como ela pode ajudar os pacientes a resolver problemas de personalidade e, também, físicos e emocionais. Mostrando que a energia do organismo é vital para seu funcionamento, Lowen expõe que, sem ela, a tensão muscular crônica se instala e passa a comprometer o que pensamos, sentimos e fazemos.
REF. 11086   ISBN 978-85-323-1086-6

REALIDADE SOMÁTICA
Experiência corporal e verdade emocional
Stanley Keleman

Uma abordagem original sobre a vida do corpo. O autor propõe uma ética que realce a família e a cultura e evoca a visão de uma vida corporal que satisfaça nossos anseios mais profundos em nível pessoal, emocional, afetivo e grupal.
REF. 10390   ISBN 978-85-323-0390-5